LIMONOV
par Edouard Limonov

LIMONOV
par Edouard Limonov

Conversations avec
Axel Gyldén

« Plus Ultra[1] *»*
Devise de Charles Quint (1500 – 1558), roi d'Espagne

---

1. En français : « plus loin ».

Paris 1980-1989

Yougoslavie 1990-1993

Moscou 1993-2012

Poutine & Limonov

avant-propos

CHEZ EDOUARD LIMONOV au cinquième étage d'un immeuble de l'avenue Lénine, à la périphérie de Moscou, c'est un garde du corps qui vous ouvre la porte. Juste derrière, en veste et col roulé noirs, droit comme un *i* et sec comme un coup de trique, se tient le « sulfureux » écrivain international, politicien russe et agitateur d'idées. D'une poignée de main ferme, il accueille ses visiteurs sans manières dans un appartement de 100 mètres carrés à la déco minimaliste : quelques chaises, un bureau en formica, un fauteuil en skaï et, sur les murs gris, trois ou quatre photos où l'on reconnaît le maître des lieux.

Sur l'une, il pose en imperméable en haut de Notre-Dame. À l'arrière-plan, la ville qui l'a fait écrivain et où il n'est pas retourné depuis vingt ans : Paris. Sur le mur d'en face, un cliché de 2002 le présente menotté et la crinière avantageuse. « Derrière les barreaux, conserver ses cheveux relève de l'acte de résistance », précise, de sa voix métallique, le coriace ex-détenu qui fut emprisonné à la suite d'une sombre histoire de tentative de coup d'État au Kazakhstan jamais élucidée.

C'est dans ce décor austère qu'à l'automne 2011, j'ai rencontré Edouard Veniaminovitch Savenko, *alias* Edouard Limonov, pour la première fois. J'étais venu, pour *L'Express*, lui demander son avis sur le livre qu'Emmanuel Carrère venait de lui consacrer et qui connaissait déjà un succès fulgurant. Il n'a pas voulu dire exactement ce qu'il pensait de ce *Limonov*. Cependant, il était clair que l'écrivain russe, tricard à Paris en raison de son engagement pro-serbe en Yougoslavie vingt ans auparavant, se délectait de cette réhabilitation inattendue offerte sur un plateau par le romancier français.

La trajectoire ô combien picaresque d'Edouard Limonov se confond avec le destin de la Russie, depuis Khrouchtchev jusqu'à Poutine, et les soubresauts de notre époque, des années Mitterrand à celles de Slobodan Milošević. Enfant surdoué puis adolescent rebelle, voyou et ouvrier en Ukraine, « Eddy » devient poète *underground* à Moscou, majordome au service d'un milliardaire à New York, écrivain déjanté (puis pestiféré) à Paris, soldat dans les Balkans, chef du parti « *nasbol* » (national-bolchevik) – interdit depuis 2007 – à Moscou, prisonnier politique, provocateur professionnel et, enfin, héros d'un best-seller en France, recompensé par le prix Renaudot.

Quelques jours après ma visite à Limonov, l'interview a paru dans *L'Express* sous le titre : « Staline régnait par la violence, Poutine, par le mensonge total. » Après quoi, Nathalie Riché, éditrice à *L'Express*, m'a sollicité pour un livre d'entretiens avec celui qui se présentait jadis comme un « bandit », un « petit salaud » ou encore « une grande gueule coiffée d'une casquette de prolo ». Idée soumise à Edouard Limonov, qui a aussitôt accepté d'évoquer sa vie, son œuvre. Au cours du même hiver, muni d'un magnétophone, je suis retourné avenue Lénine, en prenant soin d'arriver à l'heure au rendez-vous malgré les invraisemblables embouteillages moscovites, car j'avais appris que Limonov est un homme d'une ponctualité maniaque, ce qui nous fait au moins un point commun. Le présent livre est le fruit de nombreux entretiens réalisés durant l'hiver 2011-2012, saison pendant laquelle Limonov fut interpellé et placé en garde à vue plusieurs fois en raison de son action à la tête de Stratégie-31. Ce mouvement antisystème et anti-Poutine se réunit tous les 31 du mois sur la place Triumfalnaya, à Moscou, pour réclamer le droit à la liberté de réunion garanti par l'article 31 de la Constitution.

Edouard Limonov n'est pas antipathique, loin de là, ni particulièrement chaleureux. C'est d'ailleurs l'essentiel de son charme. Comme il est plaisant, à l'heure de la tyrannie de la « com » et de la séduction, de rencontrer quelqu'un qui ne cherche pas à vous plaire ! Indifférent au qu'en-dira-t-on, Limonov balance au contraire ses réponses comme autant de cocktails Molotov, parfois accompagné d'un rire sardonique à la manière de Joker, le personnage *borderline* et nihiliste de *Batman*.

Cette manière d'agir est un rien déstabilisante. Elle est également rafraîchissante. Car, au moins les propos de Limonov procèdent-ils d'une pensée réellement personnelle, hors sol et hors cadre, qui a le mérite d'interroger notre mode de pensée occidentale assis sur tant de certitudes. Tout en l'écoutant énoncer « sa » vérité dégoupillée, on se demande si celle-ci est à prendre au premier, au second ou au troisième degré. Tout bien réfléchi, c'est au premier. Au fil de la conversation, l'inquiétude persiste. À chaque instant, on s'interroge : où pétera la prochaine *limonka* (« grenade », en russe) ? Quand et sur quel terrain glissant le guérilléro urbain passera-t-il à l'attaque ?

Tour à tour mégalo, fanfaron, lumineux, agressif, excessif, foutraque ou de mauvaise foi, Limonov, 69 ans, n'a pas renoncé à mener combat contre l'esprit bourgeois et tous ceux qu'il considère comme ses porte-paroles, pêle-mêle : Mikhaïl Gorbatchev (« un plouc »), BHL (« le troubadour de la rive gauche »), Bernard Pivot (« voyez son visage sans volonté… »), Salvador Dali (« un minable ») ! Il y a assurément du Sid Vicious, chanteur et bassiste des Sex Pistols, chez cet écrivain qui se présentait naguère comme le « punk de la littérature russe » et, aussi, un peu de Louis-Ferdinand Céline, avec qui il partage le glorieux statut de « pestiféré » des lettres.

Sans aucune animosité, un leader des manifestations anti-Poutine de l'hiver 2011-2012 m'a récemment assuré qu'en son for intérieur, Edouard Limonov avait sans doute 14 ans d'âge mental.

Avoir conservé son âme d'enfant n'est pas un défaut. Égocentrique comme on l'est à l'adolescence (il assume), Limonov possède l'art de transformer la moindre anecdote ou le plus insignifiant des événements en récit d'aventure dont il est le personnage central.

Il suffit qu'il ait séjourné dans la même ville, Rome, qu'un terroriste des Brigades rouges dans les années 1970, sans avoir jamais fréquenté ni croisé ce dernier, pour que Limonov trouve une signification historique à cette banale coïncidence et, mieux, fasse du terrorisme italien d'extrême gauche un élément de sa propre autobiographie parlée. La plupart du temps, cependant, il est bien au plus près des événements qu'il raconte, assis aux premières loges ou protagoniste.

Interviewer un tel énergumène est évidemment périlleux. À un moment, après l'avoir interrogé sur ses qualités et ses défauts, j'ai risqué : « Monsieur Limonov, qu'est-ce qui vous fait rire dans la vie ? » Réponse du tac au tac : « Votre question est débile, digne d'une émission de télé ! » Un seau d'eau glaciale versé sur ma tête aurait fait le même effet. Mais j'étais doublement prévenu. Un : Limonov est un homme cassant, qui n'encombre pas la conversation de fioritures. Deux : le bâton de TNT limonovienne est d'un maniement délicat. En une phrase un tantinet agressive (et, à ses yeux, l'agressivité est une qualité), il avait marqué son territoire en rappelant, comme il le fait souvent, qu'il n'est pas « n'importe quel Tourgueniev ».

Edouard Limonov n'a pas toujours raison mais là, c'était le cas. Nous n'étions pas à la télévision. Et Limonov, unique en son genre, n'est pas n'importe qui.

Axel Gyldén

Carrère
& Limonov

« Les prix littéraires, c'est de la merde. »

À l'hiver 2011-2012, les manifestations pacifiques anti-Poutine, consécutives aux élections législatives de décembre, se multiplient. Dans son appartement de Moscou, Edouard Limonov, partie prenante dans la mobilisation populaire, prédit la fin prochaine du « néotsarisme » poutinien qui entre dans sa douzième année. Mais l'écrivain et activiste russe savoure aussi, à distance, une autre victoire, personnelle.

À Paris, on ne parle que de lui. *Limonov*, la biographie très personnelle que lui consacre Emmanuel Carrère, vire au phénomène d'édition. Publié au début du mois de septembre 2011, l'ouvrage s'est déjà vendu à presque 300 000 exemplaires moins de six mois plus tard. Et voici le sulfureux Edouard Limonov soudain réhabilité.

Depuis le commencement des années 1990, vous aviez complètement disparu des écrans radar français, tricard du milieu littéraire parisien en raison de votre engagement pro-serbe en Yougoslavie. Et voilà que le livre d'Emmanuel Carrère a fait de vous un phénomène littéraire. Quelle résurrection !

Je vois cela comme une victoire, une revanche et même mieux : une vengeance. Le monde compassé des lettres françaises me snobe depuis vingt ans. Et voici que je m'impose à nouveau à lui, en tant que héros d'un roman populaire. C'est non seulement très agréable. Mais aussi, cela démontre que je reste intéressant pour les Français. C'est logique : la France est un grand pays littéraire ; et, moi, je suis un grand écrivain, comparable à Céline et à Jean Genet. Le plus beau est que je m'impose à nouveau sans avoir rien renié de moi-même. Je n'ai pas plié, ni cédé, ni mis un genou à terre : le bouquin de Carrère est une reconnaissance de ma personne dans sa totalité. Vous êtes obligé de m'accepter tel que je suis.

Je suis un peu comme Bakounine, le théoricien de l'anarchisme qui a posé les bases du socialisme libertaire. Sa notoriété agaçait beaucoup son contemporain Karl Marx. Pourtant, ce dernier n'a pas eu d'autre choix que de constater l'importance de Bakounine, reconnu dans le monde entier. Il paraît que, selon *Le*

Canard enchaîné, Nicolas Sarkozy a recommandé à son entourage de lire *Limonov* d'Emmanuel Carrère. « Je vous le conseille pour comprendre la Russie, a-t-il dit. Il ne faut pas oublier que ce pays, c'est quarante-six fois la France. » C'est tout de même une bonne indication de ma popularité que j'évalue à cinquante-cinquante : la moitié des gens m'exècre, l'autre moitié m'admire. Ça me va : moi je ne cherche pas l'admiration, ni ne me préoccupe de la haine de certains.

Tout le monde n'est pas admiratif d'Edouard Limonov. Des jurés ont écarté *Limonov* de la liste du prix Goncourt 2011, au prétexte que vous seriez particulièrement antipathique...

Cela ne me surprendrait pas. J'ai lu les commentaires négatifs de Didier Decoin, secrétaire général de l'Académie Goncourt. Son point de vue reflète le genre de pensée en vogue en France, pays idéologiquement démodé et archaïque dont les intellectuels sont enfermés dans des dogmes dépassés : ils vivent à l'époque du stalinisme et du nazisme, et ne comprennent rien à la modernité.

De toute façon, les prix littéraires, c'est de la merde. Regardez le prix Nobel : presque toujours à côté de la plaque. Une poignée de génies l'a obtenu tandis qu'une centaine d'écrivains médiocres ont été récompensés. Qui, par exemple, se souviendra du poète suédois Tomas Tranströmer, lauréat 2011 ? Le prix Goncourt, c'est encore pire. Le bouquin de Carrère est, paraît-il, de très loin supérieur à *L'Art français de la guerre*, du lauréat Alexis Jenni, que je n'ai pas lu. Et pourtant, ce dernier l'a emporté. Mais il est vrai que la plupart des Goncourt disparaissent aussitôt qu'on a tiré la chasse d'eau.

Inutile de s'interroger sur la nature humaine : elle est vindicative, revancharde, envieuse. Chez nous, en Russie, c'est pareil : une partie importante de l'intelligentsia me déteste. Parfois, tout simplement, les gens de ma génération me jalousent parce que je suis connu et eux, non. C'est une histoire vieille comme le monde : les premiers écrivains chrétiens ont déjà suffisamment écrit sur la puissance du sentiment de jalousie.

Quoi qu'il en soit, vous devez une fière chandelle à Emmanuel Carrère et son *Limonov* dont les ventes frisent le chiffre record de... 300 000 exemplaires !

300 000 ? Tant mieux pour lui. Mais, savez-vous qu'en Russie, la diffusion de certains de mes livres a dépassé quelques millions, notamment *Le poète russe préfère les grands nègres* et *Oscar et les femmes*. J'ai fait le calcul : en 1991 et 1992, j'ai vendu 4 millions

d'exemplaires. C'est juste pour vous dire que les succès de librairie, je connais.

Il est certain que le succès de Carrère m'a bien servi. Mais j'ai aussi servi Carrère. Notre couple est comparable à celui de Régis Debray et Che Guevara. Sans le Français, qui a présenté le révolutionnaire au public européen, Guevara n'aurait probablement pas eu la même aura. Et voyez Jésus-Christ : sans la trahison de Judas, il serait peut-être tombé aux oubliettes de l'histoire. Je comprends très bien comment fonctionnent les choses : à l'image de Sibylle qui guide Énée vers les flammes, dans l'*Énéide* de Virgile, il faut être deux pour pénétrer aux Enfers.

Tout cela est très positif : la France s'intéresse de nouveau à mon œuvre qui compte plus de cinquante livres. Or *Le poète russe* est depuis longtemps épuisé et non réédité. Sur Amazon, sa cote dépasse 300 euros. À vrai dire, j'estime que sa vraie valeur se situe plutôt autour de 3 000, voire de 30 000 euros, mais passons. Il sera bientôt réédité, j'imagine. Certains de mes livres, encore inédits en France, seront peut-être traduits.

Quelle est celle de vos vies – voyou, poète, clochard, valet de chambre, écrivain, soldat, politicien... – que vous préférez ?

Mais je n'ai eu qu'une seule vie ! Emmanuel Carrère envisage ces séquences comme les pièces d'une mosaïque invraisemblable. Selon moi, il s'agit d'un ensemble très cohérent... à quelques rares exceptions près. Des journalistes français m'ont demandé si le Limonov du roman était conforme à l'original. J'ai refusé de répondre. Un jour, peut-être, je dirai ce que je pense du bouquin de Carrère. Il a lu tous mes livres, tous mes articles, il m'a interrogé pendant quinze jours. En tout cas, il a fait du bon boulot, même si un écrivain russe aurait probablement tiré un livre et un portrait différents.

Carrère me décrit comme un type froid. C'est amusant car, à mon avis, il l'est encore bien davantage. C'est un type réservé, fermé, coincé. Nous ne sommes pas amis mais je l'aime bien. Entre lui et moi, il y a une grosse différence. Pour ma part, je ne crains pas de me présenter avec mes défauts. Lui veut avoir l'air acceptable. Il faut qu'il mûrisse un peu. C'est bien de ne pas être parfait, d'avoir des imperfections.

J'ai toujours pensé que j'avais des choses à dire. Du temps où je vivais à Paris, dans le Marais, je voulais que l'on m'écoute. Maintenant, j'ai à nouveau la possibilité de m'expliquer pour que les Français comprennent qui je suis. Certains disent que je suis un antihéros ou un salaud. C'est faux. Je suis, au contraire, un gentleman digne de respect. Il faut juste prendre le temps de comprendre mes motivations.

Ukraine
1943-1967

> « En URSS,
> la vie quotidienne
> était surréaliste. »

Edouard Veniaminovitch Savenko naît le 22 février 1943 non loin de Nijni Novgorod, à Dzerjinsk, qui a la réputation d'être la ville la plus polluée d'Union soviétique. Dans les premières années de sa vie, son père, un officier subalterne du NKVD (ancien nom du KGB) est muté à Kharkov, en Ukraine, où le jeune Edouard devient une petite frappe. Parfois placé en garde à vue, il évite la prison grâce à la position de son père. Jusqu'à l'âge de 24 ans, il mène parallèlement trois « carrières » : voyou, ouvrier et poète. À Kharkov, il rencontre aussi sa première femme, Anna, une corpulente libraire juive, qui apprécie ses poèmes.

Voyou et ouvrier en Ukraine, poète *underground* à Moscou, valet de chambre à New York, écrivain à Paris, soldat pro-serbe dans les Balkans, chef du parti national-bolchevik en Russie, prisonnier politique : votre vie d'adulte est hautement romanesque. Mais quel genre d'enfant étiez-vous ?

Jusqu'à l'âge de 11 ans, j'étais un gamin très réservé, solitaire et farouche. Trop, d'après ma mère. Comme toutes les mères, elle voulait que je me mêle aux autres enfants. Malgré ses encouragements, je préférais la compagnie des livres à celle des enfants de mon âge. À 7 ans, je maîtrisais la lecture. Je suis devenu un lecteur assidu, dévorant tout ce qui me tombait sous la main : essentiellement des livres d'adultes, des ouvrages d'histoire et de géographie. Habitué de la bibliothèque municipale, j'empruntais des livres qui n'étaient pas de mon âge, intitulés *La faune de Patagonie* ou *Annales de la société russe de géographie*. Je lisais aussi des récits d'explorateurs du XIXe siècle, comme ceux de David Livingstone, en Afrique. Et les écrits de Darwin sur les îles Galápagos n'avaient pas de secrets pour moi.

Pendant l'enfance, j'ai accumulé des connaissances considérables. À 11 ans, j'étais presque savant. Aidé par ma bonne mémoire, j'étais capable de réciter des chapitres entiers de l'histoire de France ou d'Angleterre. Dans des cahiers de quarante-huit pages, je classifiais toutes mes connaissances, à la manière d'un petit encyclopédiste. J'ai consacré plusieurs volumes aux rois européens ainsi qu'à la faune et la flore du monde entier en répartissant les plantes et les animaux par familles et par espèces, avec leur nom latin. Chaque plante était, par exemple, cataloguée avec l'indication de ses dimensions, la forme de ses feuilles, la taille de son noyau, son mode de reproduction, ses parties comestibles. J'ai même dessiné une série d'illustrations pour les plantes exotiques du Brésil. En fait, je me préparais à devenir explorateur.

Précoce, voire surdoué, vous étiez donc un enfant modèle...

Cela n'a pas duré. Jusqu'à l'âge de 11 ans, j'étais un garçon penché sur ses livres, qui ne causait d'ailleurs guère de soucis à ses parents. Mais le 30 septembre 1954, tout a changé. Ma personnalité s'est soudainement métamorphosée. Ce jour-là – je m'en souviens comme si c'était hier – il faisait très beau. Et il s'est produit un événement quasi surnaturel. Sur le chemin de l'école, je suis passé, comme chaque matin, à la hauteur d'un pommier, petit mais majestueux, planté sur le bas-côté au milieu d'un carré de pelouse vert émeraude. La scène, biblique, merveilleuse par sa simplicité, faisait penser à une peinture du XVIe siècle. Et cela, au beau milieu de la cité nouvelle de Saltov, lointaine périphérie de Kharkov (1,5 million d'âmes), grand centre industriel et ferroviaire soviétique.

Devant ce pommier, j'ai senti que la chaleur du soleil envahissait mon être. Soudain, l'air était moite. Quelque chose d'important se produisait mais je n'arrivais pas à définir quoi. À cet instant précis, comme possédé par une force tombée du ciel, j'ai décidé de changer le cours de mon existence. J'ai dénoué mon foulard rouge de pionnier[1]. Je l'ai rangé dans mon cartable. Et j'ai repris ma marche vers l'école. Au fond de moi, j'étais transfiguré.

Arrivé au collège, j'ai provoqué le scandale, m'adressant aux professeurs avec une insolence et un mépris incroyable. Je les ai même insultés. J'étais méconnaissable. Jusqu'alors, mon seul copain était un dénommé Gourivich : élève modèle, premier de la classe, il était aussi mon partenaire aux échecs. Du jour au lendemain, j'ai laissé tomber ce fayot pour devenir le meilleur ami de Tchoumakov. Orphelin – son père avait été tué à la guerre par les Allemands –, c'était un gros déconneur qui portait bien son nom : en russe, *tchouma* signifie « peste ».

Avec Tchoumakov, j'ai fait les quatre cents coups. Et j'ai gagné mes galons de voyou. Ma première décision a été de m'armer d'une lame de rasoir que je portais en permanence dans la poche de ma veste car à Saltov, tout le monde était armé, le plus souvent d'un couteau, pour être en mesure de se défendre.

---

1. En URSS, tous les jeunes de 10 à 14 ans devaient obligatoirement faire partie du Mouvement des jeunes pionniers et porter un foulard rouge autour du cou lorsqu'ils étaient à l'école.

On dirait une séquence de film fantastique. Comment expliquez-vous cette mystérieuse transfiguration ?

Toute ma vie, j'ai cherché à comprendre ce qui s'était produit ce jour-là. Je cherche encore. Cette matinée de septembre 1954 me hante encore. Sans raison valable ni signe avant-coureur, je suis devenu un diablotin. En 2007, je suis retourné au même endroit. J'ai parcouru le chemin qui menait à mon école. Le pommier, devenu adulte, était toujours à sa place.

C'est comme si une force supérieure avait fait de moi le véhicule de ses projets terrestres. Soudain, j'étais animé par une énergie nouvelle. J'ai par exemple commencé à fuguer. Chacune de mes fugues faisait sensation à l'école et dans le quartier, où ma mère était dans tous ses états. Une fois, avec Tchoumakov, j'ai entrepris de partir au Brésil : notre fugue s'est arrêtée à l'autre bout de la ville. Pour les adultes, j'étais devenu un mauvais sujet, irrécupérable.

Moi, de mon côté, je me suis mis à mépriser ma vie d'avant et l'univers dans lequel j'avais grandi. J'ai commencé à me demander si mes parents étaient bien mes parents. Mais surtout, je suis devenu beaucoup plus courageux. C'était nécessaire car Saltov était un endroit très dur, peuplé de prolos et de voyous. Il y avait des familles entières qui passaient par la prison : à peine le père retrouvait-il la liberté que le fils aîné était envoyé derrière les barreaux ; puis c'était au tour du

frère cadet, et ainsi de suite. Dans les rues, les ouvriers s'exprimaient avec des gros mots, ponctuant leurs phrases de « pouffiasse », « merdeux » ou « enculé ».

Comment avez-vous fait pour vous imposer physiquement dans le monde des voyous ?

Je n'étais pas petit. Par la taille, j'étais le troisième de ma classe (je mesure aujourd'hui 1,73 mètre). Rappelons que les enfants nés pendant ou après la guerre n'avaient pas été particulièrement bien nourris. Par comparaison avec mes camarades, j'étais normalement développé. Cependant, à l'âge de 11 ans, un camarade de classe m'a cassé la gueule. Ce fut une expérience qui changea le cours de mon existence, aussi radicalement que la chute d'une pomme a changé celle de Newton. J'ai compris que toute l'espèce humaine se divisait en deux parties : ceux qu'on pouvait tabasser et ceux qu'on ne pouvait pas. J'ai commencé à fréquenter un club de lutte et plus personne n'est jamais venu me chercher querelle.

En quoi l'univers des voyous était-il attirant ?

Appartenir à une bande de voyous permettait d'avoir l'ascendant sur mes camarades de classe, de les dominer. Je me sentais également autorisé à être insolent vis-à-vis des enseignants, ce qui était très agréable. Assis au fond de la classe, on balançait des vannes qui faisaient rigoler tout le monde. Peut-être les autres élèves riaient-ils par crainte de déplaire à Tchoumakov ou à moi-même ! Nous étions les caïds de l'école. On se permettait tout. C'était grisant de voir, dans les rues, les gens s'écarter au passage de notre bande qui comptait une vingtaine de vauriens.

Il faut s'imaginer l'ambiance de l'époque. C'était l'immédiat après-guerre. Les gens étaient habillés pauvrement et, à cause de la pénurie de logement, beaucoup vivaient encore dans des baraques en bois, s'entassant parfois par dizaines dans une seule chambre. Comme tout le monde se connaissait plus ou moins, le quartier de Saltov, dans la banlieue de Kharkov, avait un peu une âme de village. Le point commun des habitants, c'était de vivre dans le dénuement. En dépit des menus avantages matériels que pouvait procurer le statut militaire de mon père, je ne me souviens pas avoir mangé de la viande durant mon enfance.

Et l'enseignement, qu'en pensiez-vous ?

C'était plutôt ennuyeux… Élève moyen, j'étais rétif aux mathématiques. Mes notes étaient médiocres : 2 sur 5 en trigonométrie, 3 sur 5 en littérature russe, mais 5 sur 5 en histoire et en littérature ukrainienne. Vers 13 ans, j'ai commencé à pratiquer l'école buissonnière avec assiduité. J'ai également commencé à boire et à fumer. À l'âge de 15 ans, je prenais des

cuites à la vodka si sévères que, souvent, des voisins me ramassaient, gisant sur le sol, me transportaient jusqu'au domicile familial où ma mère était désemparée. Tout cela ne m'a pas empêché de décrocher mon certificat d'études.

Vous avez la réputation d'avoir un foie en acier : quel avantage cela procure-t-il au pays de la vodka ?

Les gens simples me respectent. Quand je bois avec eux, tout le monde se met dans un état minable et, moi, je résiste bien, mes mouvements restent précis. Ce comportement est apprécié en Russie. Les gens pensent : « Voilà un vrai *moujik*, il est des nôtres ! » Aujourd'hui, je bois surtout du vin. Mais j'ai une règle : jamais avant 18 heures.

Pourquoi les Russes boivent-ils autant ?

Les Russes ressemblent aux Scandinaves : ils sont peu joyeux, sans doute parce qu'ils sont privés de soleil, à l'exception de quelques journées glaciales, en hiver. Ceci explique peut-être cela : ils ne possèdent pas l'art du contact. Du coup, ils boivent dans le but de se socialiser. C'est pour eux un rituel rassurant. Le problème est que les Russes sont des gens lourdingues, surtout s'ils sont alcoolisés. Si l'on aborde un sujet de conversation qui leur tient à cœur, ils sont capables d'emmerder le monde toute la soirée.

Les Russes peuvent rabâcher le même sujet pendant des heures. Dans l'art de la conversation, la légèreté et la vélocité ne sont pas leurs points forts.

Qu'y avait-il de si intéressant dans la vie de loubard ?

La liberté ! Autour de moi, je voyais des ouvriers qui travaillaient jusqu'à dix, douze et même quatorze heures par jour. Merde ! me disais-je, il faut vraiment être un esclave pour accepter ça ; gagner du fric illégalement est bien plus facile. Alors, à 15 ans, le jour de mon anniversaire, j'ai participé à mon premier « casse », avec Kostia, notre chef de bande. Nous avons cambriolé un magasin d'alimentation dans l'espoir de dérober la caisse. Kostia était un cambrioleur professionnel, expert dans l'art de forcer des serrures.

Nous sommes passés à l'action dans la nuit en appliquant la règle numéro un du cambrioleur : agir avec courage et énergie, sans trop réfléchir ni attendre la situation « idéale » car elle n'existe pas. Nous avons cassé une fenêtre et nous sommes introduits à pas de chats. Le butin ? Pas génial : quelques bouteilles de vin et quelques pièces de monnaie. Mais, avec ce premier cambriolage, j'avais l'impression d'avoir décroché mon brevet d'entrée dans l'âge adulte.

N'avez-vous jamais été pris de remords en repensant à votre « carrière » de délinquant ?

Bien sûr que non ! À mes yeux, le cambriolage était une occupation noble, franche, tandis que le fait de voler en douce des marchandises comme le font tous les gérants et directeurs, c'était mal. Mes activités ne me paraissaient pas hors la loi. À Kharkov, tout le monde était plus ou moins en marge de la légalité. Malgré ses usines géantes aux noms évocateurs (La faucille et le marteau, Les turbines, Le piston), cette ville n'était pas seulement un monde de prolétaires ; c'était un univers criminel.

Entreprendre des études supérieures ne venait à l'idée de personne. Les modèles à imiter étaient, pour nous, les repris de justice. Leur prestige était énorme. Plus les bandits avaient séjourné longtemps derrière les barreaux, plus nous les admirions. Tout en haut de notre panthéon personnel se trouvaient les anciens bagnards de Kolyma, le goulag de l'extrême est de la Russie[2]. Les rescapés de Kolyma étaient respectés par-dessus tout : ces hommes qui avaient survécu aux travaux forcés dans le froid de la Sibérie du Nord étaient, à nos yeux, des surhommes, des héros véritables.

---

2. Considéré comme le « Auschwitz russe », mais sans les chambres à gaz ni les fours crématoires, des millions de Russes y ont été déportés par Staline.

Baignant dans ce système de valeurs, je m'étais forgé une conviction : c'étaient les voyous qui devaient diriger le pays. Il devait y avoir la dictature des voyous et non celle du prolétariat. Mon raisonnement était le suivant : les voyous sont incontestablement plus évolués, plus ingénieux et plus intelligents que le prolétariat. N'importe quel prolo recule devant le couteau d'un voyou. Le vrai chef, c'est le voyou.

J'ai du mal à saisir : vous décrivez un monde où les criminels ont une grande liberté de manœuvre. Or je croyais que l'Union soviétique était un état policier où chaque individu était surveillé.

C'est simple à comprendre. Dans les années 1950-1960, l'Union soviétique était comparable à ce que George Orwell décrit dans *1984*. Les millions de prolos y étaient en réalité plus libres que n'importe qui. Bien sûr, à Moscou et dans les grandes villes, les intellectuels étaient surveillés par le KGB. Mais l'appareil répressif ne se souciait pas de pauvres ouvriers, perdus dans d'immensité des ghettos pour prolos.

Dès la tombée de la nuit, Kharkov devenait une zone de non-droit. Les policiers ne s'y aventuraient pas. Enfin, autre paramètre : les condamnations pour les délits de droit commun étaient, à l'époque, peu sévères. Un exemple : un jour, trois de mes amis ont agressé un policier, l'ont battu à terre, ont dérobé son arme. Arrêtés, ils n'ont été condamnés qu'à trois ans de prison. Aujourd'hui, ils écoperaient de vingt ans.

Était-ce un monde triste et déprimant que celui d'une cité industrielle en URSS ?

À mes yeux, non. Visuellement, l'urbanisme n'avait rien de folichon avec ses immeubles HLM et ses cheminées d'usines. Les usines de Kharkov étaient particulièrement grandes. L'usine des Tracteurs employait 100 000 travailleurs et s'étendait sur plusieurs kilomètres. Mais dès que l'on s'éloignait de la ville, la nature reprenait ses droits. Et, à l'époque, elle était intacte. Quant à la population, elle ne s'estimait pas particulièrement accablée. Les gens avaient un boulot, cela suffisait pour qu'ils ne se posent pas de questions.

La société dans laquelle j'ai grandi est difficilement concevable aujourd'hui. En fait, c'était un monde beaucoup plus vivant et intéressant que le monde actuel. On y croisait des personnages insolites comme on n'en fait plus. Notre voisin, par exemple, était un commandant de police qui avait combattu en Allemagne pendant la Seconde Guerre mondiale. Après la guerre, il avait stationné en Allemagne de l'Est occupée, d'où il avait ramené quantité d'objets volés : des pistolets, des sabres, des couteaux, etc. À Kharkov, ce monsieur était responsable du centre de dégrisement pour les alcooliques ramassés sur la voie publique. Pourtant, lui-même était porté sur la bouteille !

C'était un homme un peu repoussant, avec un ventre énorme. Mais je l'aimais bien. Et c'était réciproque. Avec ce monsieur formidable, nous avons volé des bouteilles de vin algérien à un voisin qui les avait stockées en vue de sa fête d'anniversaire. Puis, tous les deux, nous avons commencé à siroter les quatre bouteilles de vin rouge. Quand ma mère a débarqué chez lui, ça a été un scandale : « Mais ça ne va pas la tête ! Un officier de police qui fait boire un adolescent de 15 ans... » J'étais bourré. Et j'étais aux anges.

Les larcins de vos « années voyou » vous rapportaient-ils beaucoup d'argent ?

C'est difficile à évaluer car nous dépensions immédiatement le fric dans des restaurants ou des virées avec des copines. En tout cas, notre train de vie dépassait largement celui des ouvriers. Tout l'art consistait à se maintenir à flot constamment. Ce qui obligeait à être inventif. Afin de dévaliser des passants en pleine rue, nous avons par exemple fabriqué des faux pistolets en bois peints en noir. Très efficace.

Après ma scolarité, je me suis fait embaucher comme manutentionnaire au sein de la plate-forme de stockage des aliments de la région de Kharkov.

C'est là qu'était entreposée toute la bouffe de la région : un espace démesuré, comparable aux halles de Rungis, avec plusieurs abattoirs et des hangars immenses. Nous y pénétrions en voiture, le coffre lesté de pierres – car tous les véhicules étaient pesés à l'entrée et à la sortie de l'enceinte – et, une fois à l'intérieur, nous remplacions les sacs de pierres par du sucre, de la viande et d'autres denrées périssables facilement monnayables.

De 15 à 22 ans, j'ai accumulé les exploits de ce genre avec ma bande tout en travaillant parallèlement comme ouvrier dans les différentes usines de Kharkov. Beaucoup de mes comparses sont morts prématurément. L'un a été tué par les flics à l'âge de 22 ans, un autre a été assassiné en prison, et ainsi de suite. L'espérance de vie n'était pas très élevée parmi les voyous. Je suis un survivant.

Quelles relations entreteniez-vous avec vos parents ?

Ma mère était une femme simple, une ouvrière, mais très étonnante par la façon qu'elle avait de s'adresser aux hauts gradés de l'Armée rouge sans aucune précaution oratoire. À l'époque stalinienne, elle était capable de dire des choses pour lesquelles d'autres auraient probablement été fusillés. Mais elle le faisait avec une telle honnêteté, une telle décontraction, que cela passait comme une lettre à la poste. Mon père, lui, était un officier du NKVD, qui n'avait pas combattu au front pendant la guerre, ce qui était un défaut à mes yeux. Quant à moi, j'étais un adolescent épouvantable, rebelle.

Un jour, j'ai traité ma mère de « conne » et de « pute ». Mon père m'a mis une trempe. Ma mère m'a raconté par la suite que j'étais devenu livide, blanc comme un linge. Je tremblais de tout mon corps. Dans un état second, j'ai menacé mon père de le tuer s'il me frappait à nouveau. Puis j'ai fugué pendant deux jours, caché dans le sous-sol de l'immeuble. Mon père a compris qu'il ne fallait pas se comporter violemment avec moi : la situation ne s'est jamais répétée.

Ma mère avait une certaine compréhension pour mon esprit de rébellion. Elle avait perdu sa maman à l'âge de 2 ans et avait été élevée par plusieurs belles-mères successives. Dans sa jeunesse, elle avait probablement fait beaucoup de bêtises. Ses tatouages aux bras montraient qu'elle n'avait pas toujours été un ange… Une fois, elle m'a surpris chez un copain, en train de m'alcooliser avec des bouteilles dérobées lors d'un cambriolage. Je m'attendais à ce qu'elle m'engueule. Au contraire, elle s'est assise avec nous, sans faire aucune remarque. Elle est restée un moment. Après quoi, elle est repartie, me laissant picoler avec mes amis. Ce jour-là, il me semble qu'elle a choisi de prendre le parti de son fils. Les jours suivants, mes potes et moi avons continué à nous aviner. En rentrant chez moi, je me suis écroulé et endormi dans la neige. J'ai contracté la tuberculose, ce qui m'a valu une longue hospitalisation dont je suis sorti au prix de beaucoup d'efforts.

Quel genre d'homme était votre père ?

C'était un puritain : il ne buvait pas, ne fumait pas, ce qui était remarquable car, à Saltov, la plupart des hommes étaient de gros buveurs. Lui-même était issu d'une famille de petits bourgeois de province : son père était le directeur technique d'un gigantesque grenier à blé, en Ukraine. Électricien habile, mon père avait quant à lui été recruté par le NKVD qui, dans tous les domaines, recrutait les meilleurs éléments. Pendant la guerre, ces derniers n'étaient pas envoyés au front comme la plupart des jeunes de leur âge, mais étaient affectés à des fonctions moins dangereuses. C'est ainsi que mon père s'est retrouvé à garder une usine d'armement à l'arrière.

Votre père était-il un communiste convaincu ?

Il était plus que cela, il était *politruk*[3]. Cela signifie qu'au sein de l'Armée rouge, il ne relevait pas de l'autorité militaire, mais dépendait d'une chaîne de commandement indépendante, soumise au pouvoir politique, lequel dominait et contrôlait le pouvoir militaire.

---

3. Commissaire politique.

Mon père était un homme qui possédait de multiples talents : il était, par exemple, bricoleur. En 1953 – année de l'arrivée d'un émetteur de télévision à Kharkov – il a même fabriqué un téléviseur à partir de pièces détachées. Tous les voisins de l'immeuble venaient chez nous pour découvrir l'objet magique.

D'autre part, mon père était un excellent musicien. Sans jamais avoir pris de leçons, il jouait du piano et de la guitare avec une aisance incroyable. On aurait dit un guitariste de flamenco, enchaînant les gestes techniques avec une adresse remarquable. Tout le monde disait qu'il aurait pu faire une carrière de musicien ou de compositeur. C'était vrai.

Vous sentiez-vous proche de lui ?

Non. Je ne le voyais qu'épisodiquement. La plus grande partie de sa vie, il l'a passée loin de sa famille. Il était souvent en garnison ou en voyage en Sibérie. C'était un être froid. Chez nous, tous les membres de la famille l'étaient : mon père, ma mère et moi aussi. Il ne m'a jamais pris dans ses bras. C'était un type solitaire, silencieux, sérieux, honnête. Je méprisais son honnêteté qui, à mes yeux, était une forme de faiblesse.

Après sa mort, j'ai compris que mon père était admirable. C'était un samouraï. Par exemple, le jour où, après un an d'attente, un appartement de trois pièces nous a enfin été attribué en remplacement de notre simple chambre dans un appartement communautaire, il a cédé son tour au profit d'un autre couple qui avait trois enfants. Ma mère lui est tombée dessus à bras raccourcis : « Mais tu es dingue ! » Mon père a répliqué : « Ne vois-tu pas qu'ils sont cinq et nous, trois ? » Il avait des principes. Je suis le fils d'un samouraï.

Auriez-vous, comme lui, voulu devenir militaire ?

C'était mon désir le plus cher, non seulement parce que mon père était un officier mais également parce que j'étais inspiré par l'image héroïque de la victoire russe à Berlin en 1945.

À 17 ans, comme tous les jeunes, j'ai passé l'examen médical préalable à la conscription. Hélas, en raison de ma myopie, j'ai été réformé. Cela a été un drame. À l'époque, être réformé était considéré comme une tare, un handicap honteux. J'ai gardé pour moi ce terrible secret afin qu'aucune fille de Saltov ne le découvre.

Revenons à votre enfance. Né début 1943, vous avez vécu pendant dix ans sous le règne de Staline. Quel souvenir en conservez-vous ?

Je me rappelle seulement que la radio diffusait, tous les matins à 6 heures, l'hymne national. On se réveillait avec ça. À part cela, je me souviens de la mort de Staline, le 5 mars 1953. J'avais 10 ans. Ce matin-là, ma mère, qui était debout la première, nous a réveillés en catastrophe : « Écoutez, écoutez : Staline est mort ! » Elle pleurait. Moi, j'ai commencé à pleurer également. Mon père a soulevé une paupière et dit tranquillement : « Taisez-vous, vous n'avez aucune idée de qui vous pleurez… » Après, il a mis un oreiller sur sa tête et il s'est rendormi. Ma mère était stupéfaite, bouche bée. Moi aussi. Venant d'un serviteur de l'État soviétique, je trouvais sa réaction étrange.

Et quelle image aviez-vous de Nikita Khrouchtchev ?

Pour les gars de Saltov, le grand mérite de « Nikita » était d'avoir acheté des films étrangers, notamment français. C'est grâce à lui que, dans les années 1960, nous avons découvert Alain Delon et Lino Ventura. Les films soviétiques n'intéressaient pas les jeunes de Saltov. C'est compréhensible : ils présentaient les jeunes comme des cons dociles et disciplinés qui travaillaient vaillamment dans des usines pour remplir et dépasser les plans de production.

Les militaires, comme mon père, n'aimaient pas Khrouchtchev car il avait réduit leur solde. Je me rangeais à l'avis de mon père et des militaires du voisinage pour trouver que Nikita était un incapable. Avec les années, j'ai changé d'avis. Khrouchtchev a fait des choses intéressantes. Dans les années 1950, il a initié l'ensemencement de terres incultivées de la Russie centrale : un bon choix stratégique. Aujourd'hui, c'est grâce à lui que subsiste une production céréalière en Russie.

Cela étant dit, Khrouchtchev a aussi fait des conneries. Durant plusieurs années, la production de pain a été insuffisante du fait qu'il avait jeté son dévolu sur le maïs, au détriment du blé. Nikita était un grand admirateur du maïs américain, au point d'accomplir une petite révolution agricole. Du coup, tous les Russes se sont mis à bouffer du maïs. Le fonctionnement de l'Union soviétique était aberrant, voire grotesque : certains produits manquaient tandis que d'autres étaient disponibles en proportions gargantuesques.

Dans le magasin d'alimentation des banlieues ouvrières de Kharkov, on trouvait facilement du caviar, proposé dans des grandes barriques où l'on se servait à la louche. Cela ne coûtait presque rien. Mais les clients n'en voulaient pas. Il y avait aussi d'énormes conserves de crabes du Kamchatka, ainsi que de la viande de baleine. Cela n'intéressait personne non plus. En URSS, la vie quotidienne était surréaliste.

Moscou-Vienne-Rome

1967-1974

> « L'Italie était
> un vrai baril de poudre.
> Enfin, la vraie vie ! »

Pour la première fois de son existence, Edouard Limonov décide de rompre avec sa situation présente. Âgé de 24 ans, il part tenter sa chance à Moscou, où il mène deux activités parallèles : tailleur pour hommes et poète *underground*. Dans la capitale de l'URSS, il fait la rencontre d'un des amours de sa vie, la belle Elena, au physique de mannequin.

Dans quelles circonstances avez-vous décidé, à 24 ans, de sauter dans l'inconnu en « montant » à Moscou, capitale de l'Union des républiques socialistes soviétiques ?

L'une de mes qualités principales est que je ne crains pas le risque. Disons, aussi, que je suis visionnaire. Cela me donne une capacité à me projeter mentalement dans le futur et, comme aux échecs, à visualiser la partie avec plusieurs coups d'avance. Lorsque j'entrevois la possibilité d'agir et d'accomplir quelque chose, j'ai l'audace de m'engouffrer dans cette brèche, sans calcul. J'ai souvent pris des décisions importantes par instinct. Voilà pourquoi mon existence s'est transformée en destin.

Avant mon départ pour Moscou, toutes les circonstances m'étaient défavorables. J'avais une chance sur un million de réussir. Je ne connaissais personne à Moscou. Je n'avais nulle part où dormir, pas de travail, rien. Je suis parti malgré tout. Je savais une seule chose : je voulais aller plus haut. Cela supposait de quitter le vide sidéral de la province. Kharkov comptait 1,5 million d'habitants ; néanmoins c'était un trou.

Une fois prise, votre décision était irrévocable ?

Bien entendu. Cependant, j'ai dû m'y prendre à deux fois. J'ai quitté Kharkov une première fois à l'été 1966. Mais, arrivé à Moscou, sans relations et sans argent, je n'ai pas tenu le choc. Je suis resté six semaines, partageant une chambre avec un peintre, également venu de Kharkov, dans une petite maison de bois, délabrée, dans le centre-ville. Puis, je suis retourné en Ukraine. La seconde tentative fut la bonne. Le 30 septembre 1967, je débarque à la gare de Koursk, à Moscou, pour ne plus jamais revenir à Kharkov, ni revoir mes parents, à l'exception de trois fois : peu avant de quitter définitivement l'URSS[1], après la chute du mur de Berlin[2], et enfin à l'occasion du tournage d'un documentaire télévisé consacré à ma jeunesse[3].

À l'époque où la jeunesse du monde entier faisait sa révolution culturelle, quelle était l'ambiance à Moscou, à la fin des années 1960 ?

J'étais immergé dans le milieu *underground*, peuplé de poètes et d'artistes dont beaucoup sont aujourd'hui décédés, tels que le peintre Anatoli Zverev[4], membre

1. En 1974.
2. Fin 1989.
3. En 2007.
4. 1931-1986.

du mouvement non-conformiste et fondateur de l'expressionnisme russe ou encore le poète Genrikh Sapgir[5]. Certains sont d'ailleurs très cotés sur le marché. Quelques-uns appartiennent même à l'histoire de l'art contemporain. Dans le cercle que je fréquentais se trouvait, par exemple, le plasticien Ilya Kabakov, très prisé aux États-Unis. Toujours vivant, il vit à Long Island.

À l'époque, sous le règne Léonid Brejnev, secrétaire général du parti communiste de 1964 à 1982, l'Union soviétique était plongée dans un long sommeil. L'ambiance était léthargique, ennuyeuse. Le milieu *underground* était le seul espace vraiment vivant. Les vernissages d'expositions de peinture se déroulaient clandestinement dans des appartements privés, où étaient également organisées des lectures de poésies. Pour des gens comme moi, c'était le seul lieu d'expression possible. J'ai d'ailleurs été un des premiers auteurs de *samizdat*[6] littéraires. Et j'ai, sans doute, été le seul à vendre des poèmes. Je tapais moi-même mes recueils de poésies à la machine à écrire. Je les brochais, ajoutais une couverture cartonnée et vendais chaque recueil au prix de 5 roubles. Ils étaient très prisés parmi l'intelligentsia.

Le principal problème des gens comme moi se résumait à : comment gagner du fric ? Pour ma part,

---

5. 1928-1999.
6. *Samizdat* : écrits dissidents qui circulaient clandestinement en URSS.

devenu tailleur pour hommes, je gagnais correctement ma vie en fabriquant des pantalons de bonne facture.

S'afficher comme membre de l'*underground*, mener la vie de bohème, mépriser l'art officiel, bref vivre et se revendiquer comme « dissident culturel » s'apparentait-il à un acte de dissidence tout court ?

Les gens du KGB et les flics se désintéressaient du milieu artistique. Leur préoccupation, c'était la dissidence politique, pas culturelle. Du coup, ils nous foutaient une paix royale. Nous jouissions d'une certaine liberté. Pour vous donner un exemple, il était possible d'errer toute la nuit dans les rues de Moscou sans jamais être emmerdé par un contrôle d'identité.

Mon seul problème était que ma principale aspiration – publier mes poèmes – demeurait inaccessible. Or, comme poète, j'étais convaincu de mon talent. Je savais que j'étais le meilleur. Je regardais mes confrères de haut car j'étais certain que je finirais par m'imposer tandis qu'eux resteraient dans l'anonymat. Un jour, j'ai tenté de faire publier mes œuvres dans la presse officielle. Sans trop d'illusion, j'ai envoyé quelques-unes de mes poésies au rédacteur en chef du journal *Iounost*[7]. Sa réponse m'a sidéré. Ce bureaucrate trouvait mon style tellement

---

7. *Jeunesse.*

étrange qu'il m'a demandé si j'étais un Allemand qui étudiait le russe. Quel débile !

Dans ces années-là, quelle idée vous faisiez-vous de l'Occident, sachant que vous n'aviez jamais quitté l'Union soviétique ?

À Moscou, j'ai noué des amitiés avec des diplomates occidentaux et des employés d'ambassade, comme Lise Yvari, une Viennoise employée à l'ambassade d'Autriche. Je me souviens qu'elle fumait du haschich afghan, une denrée qu'il était alors aisé de se procurer. Lise était socialiste. Et son cercle d'amis, également de gauche, ne ménageait pas ses critiques à l'égard du capitalisme. Donc, lorsque j'ai débarqué en Occident, j'étais déjà affranchi. J'ai d'ailleurs consacré un ouvrage aux tares de la civilisation du petit sourire poli et hypocrite, *Le Grand Hospice occidental*[8] que Bernard Pivot a attaqué en le qualifiant, avec mépris, « d'ouvrage philosophique pour les *skinheads.* »

Aujourd'hui encore, la comparaison avec l'hospice de fous demeure pertinente. L'Occident n'a pas cessé d'être un refuge pour ces grands malades obsédés par la prospérité stérile et l'accroissement du produit national brut. Avant sa publication, j'avais donné à lire le manuscrit à un critique

---

8. *Le Grand Hospice occidental*, Les Belles Lettres, 1993.

littéraire parisien connu, Claude Frioux[9]. Curieusement, son avis était défavorable. Pourtant, c'était, et cela reste, un livre nécessaire. Il marquera son temps. Depuis sa publication, je n'ai rien lu de comparable.

Pour revenir à mes amitiés moscovites, un jour, j'ai fait la connaissance de Régulo Burelli Rivas, alors nouvel ambassadeur du Venezuela en Union soviétique. Il m'avait été présenté en 1969 par le poète Genrikh Sapgir. L'ambassadeur était un aristocrate formidablement intéressant et élégant. Dans les années 1950, il avait été emprisonné et torturé par la dictature vénézuélienne. Extravagant, joyeux, affable, il était aussi poète et avait publié des recueils de poésie. Russophone parfait, très critique à l'égard du système soviétique, il est rapidement devenu l'ami des arts non officiels russes, c'est-à-dire du milieu *underground*.

L'ambassadeur Régulo Burelli Rivas organisait souvent des fêtes et réceptions, toujours somptueuses. Le champagne coulait à flots : visiblement, l'argent n'était pas un problème pour ce pays pétrolier dont l'ambassade était richement décorée de bouquets de roses. Avec ma femme Elena, nous étions régulièrement invités aux dîners-cocktails de l'ambassadeur. Ce dernier appréciait notre bonne humeur et la

---

9. Claude Frioux est connu comme universitaire, spécialiste de la Russie.

beauté de ma jeune épouse. Pour nous, ces soirées étaient une fenêtre sur le monde. Dans ce salon brillant, on rencontrait des intellectuels russes et des tas de diplomates internationaux.

Des gens de bonne compagnie, en somme.

Vous ne croyez pas si bien dire ! À l'été 1970, nous y avons fait une rencontre étonnante et… troublante. Lors d'un de ces cocktails, deux étudiants vénézuéliens de l'université Patrice-Lumumba, de Moscou, étaient là. Ces jeunes hommes étaient fort sympathiques, très bavards et originaux. Une fois la fête terminée, vers 2 heures du matin, nous nous sommes promenés avec eux à travers la nuit moscovite. Un peu éméchés, nous avons parlé sans arrêt, surtout de politique, jusqu'au petit jour. Mais à un moment, nous nous sommes disputés parce qu'ils défendaient le régime soviétique bec et ongles. Quand j'émettais des réserves, ils me traitaient d'imbécile… Leur foi dans le communisme était impressionnante. Jamais je n'avais entendu des expatriés s'exprimer ainsi. Ils ne se contentaient pas de critiquer l'Occident ; ils défendaient Léonid Brejnev et toutes les décisions du comité central du parti communiste. « Mais les gars, venez donc vivre en URSS à temps plein ! » ai-je lancé à ces deux dingos. Puis nous nous sommes séparés, bons amis malgré tout.

Au printemps 1982, étant établi à Paris, quelle ne fut pas ma surprise de reconnaître le portrait d'un des deux Vénézuéliens à la Une des journaux français, au lendemain des attentats de la rue Marbeuf ! C'était Carlos ! Oui, Ilitch Ramírez Sánchez, *alias* Carlos, le terroriste international ! « Bon dieu ! Ai-je pensé, mais c'est le type avec qui j'ai passé une nuit entière à discuter voilà dix ans ! » La coïncidence était bien réelle : Carlos, russophone, a bien étudié à l'université Patrice-Lumumba, et son visage poupin, de forme carrée avec des traits indiens, est inoubliable.

En 1974, vous avez réussi à quitter le territoire de l'URSS. Comment avez-vous accédé à ce privilège ? Certains soupçonnent que le KGB vous a accordé un traitement de faveur...

Absurde ! Voici comment les choses se sont produites. Tout a commencé après mon mariage avec Elena, en octobre 1973, dans une église du centre-ville de Moscou. C'était un petit événement mondain, avec 200 personnes – aujourd'hui on dirait un mariage « *people* ». Parmi les invités : mes amis autrichiens et vénézuéliens, dont l'ambassadeur, d'autres étrangers encore, des tas d'artistes et tous les poètes de l'*underground*. Peu discrète, cette noce cosmopolite a évidemment attiré l'attention du KGB. Quelques jours plus tard, des policiers en civil frappaient à la porte de notre appartement.

« Nous souhaitons vous parler. Suivez-nous. » Ils m'ont embarqué rue Dzerjinski, dans une annexe du KGB, près de l'immeuble de la Loubianka[10]. Là, ils ont commencé à énumérer les infractions dont j'étais coupable, en m'expliquant que je ne travaillais pas, que mon activité de tailleur-couturier était illégale, que je résidais à Moscou sans autorisation administrative, etc. Puis ils ont invoqué les articles du code pénal correspondant à mes délits. Tout cela équivalait à deux ou trois années de prison. « Vous risquez de gros ennuis », a menacé un officier, l'air mystérieux. Puis : « Mais revenez donc nous parler demain : convocation ici même, à 8 h 30. »

Il n'est pas facile de me foutre la trouille mais cette nuit-là, j'avoue, Elena et moi avons mal dormi. À 7 heures, le lendemain matin, coup de téléphone : « Allô ! Edouard Veniaminovitch ? Nous voulons simplement nous assurer que vous n'avez pas oublié votre rendez-vous, à 8 h 30, au 2, rue Dzerjinski. » Ils faisaient monter la pression. À ce deuxième rendez-vous, ils sont restés évasifs et m'ont fait mijoter. À la troisième ou quatrième convocation, j'ai demandé : « Mais que voulez-vous, à la fin ? » Leur réponse : « On réfléchit. Il n'y a pas le feu. Tout dépendra de votre attitude.

---

10. Le siège du KGB.

– Peut-être voulez-vous que je vous balance des informations sur mes copains de l'*underground* ?

– Non, ces gens-là sont inintéressants, ont-ils répliqué. En revanche, nous savons que vous fréquentez assidûment l'ambassade du Venezuela. Voilà deux semaines, vous y avez dîné avec votre épouse, en compagnie de douze ambassadeurs occidentaux. Et vous étiez le seul couple russe présent. Ça, c'est intéressant : de quoi parle-t-on dans ces dîners ? Racontez-nous. Y a-t-il des informations susceptibles de nous intéresser ? »

Qu'avez-vous pensé à cet instant-là ?

J'ai refusé leur proposition. Pour eux, ma réaction était incompréhensible : « Tous vos copains de l'*underground* collaborent avec nous et nous alimentent en tuyaux de toutes sortes. » J'ai expliqué que mon père était lui-même un ancien officier du NKVD (ce qu'ils savaient parfaitement) et qu'il m'avait un jour déconseillé avec fermeté de collaborer avec les services secrets. Il estimait qu'à travers son engagement personnel, notre famille avait suffisamment donné à l'État soviétique. Une fois encore, ils m'ont laissé repartir, mais en m'invitant à réfléchir. Puis, ils ont renouvelé leurs intimidations. Mais j'ai tenu bon.

1974, c'était l'année de l'expulsion d'Alexandre Soljenitsyne, parti en exil en février, en Suisse d'abord puis aux États-Unis. À cette époque, le régime a entrepris de se débarrasser des dissidents et des « déviants ». J'ai de nouveau été convoqué par le KGB. Cette fois, ils m'ont proposé un choix : « Soit vous quittez le pays, soit on vous fout en prison. » J'ai choisi la première option.

Pour quitter l'URSS, il y avait un certain nombre des formalités bureaucratiques à remplir, y compris une autorisation de nos parents, comme si nous étions des écoliers. Ma femme et moi avons fait le nécessaire sans trop y croire, d'autant moins que ni ma femme, ni moi n'étions juifs. Or la filière d'expulsion passait par un voyage à destination d'Israël, au sein d'un groupe de Juifs russes qui émigraient définitivement en Terre Sainte.

Peu de temps après, surprise, nous avons reçu nos autorisations de sortie du territoire. Je suis retourné à Kharkov dire au revoir à mes parents. Puis, nous nous sommes envolés pour l'Europe de l'Ouest. Notre périple commençait par une escale à Vienne, en Autriche, le seul pays qui gérait la vague de retour des Juifs russes vers la Palestine. Mais à aucun prix, nous ne voulions nous rendre en Israël. Or nous savions qu'il nous fallait, à l'escale viennoise, demander l'asile politique aux autorités locales et leur signifier notre refus catégorique d'embarquer pour Tel Aviv, quitte à nous jeter au sol. Dans l'avion, nous avons rencontré un couple de jeunes juifs qui étaient dans la même situation : ils ne voulaient pas aller en Israël, par crainte de devoir y effectuer leur service militaire.

À l'escale de Vienne, ce couple d'objecteurs de conscience et nous-mêmes avons mis notre plan à exécution. Cela a créé un scandale insensé parmi les passagers. Dans un brouhaha invraisemblable, ces sionistes russes nous insultaient, nous qualifiaient de traîtres, nous menaçaient. Heureusement, des policiers autrichiens, à la physionomie de nazis, sont venus à notre rescousse...

Que s'est-il passé ensuite ?

Nous avons été pris en charge par la fondation Tolstoï. Créée pendant la Seconde Guerre mondiale, celle-ci s'occupait traditionnellement des soldats restés à l'Ouest après la guerre. Nous avons été logés, trois semaines durant, dans une modeste pension de famille. Le premier jour, n'ayant pas d'argent, Elena et moi nous sommes mis à boire et manger la vodka et le caviar que nous avions emportés dans nos bagages. Le caviar, sans pain, c'était affreux ! Juste après, nous avons fait l'amour, furieusement, au point que notre lit s'est cassé ! La propriétaire était furax.

Nous avons ri, aussi, en repensant au conseil de mon beau-père. Étant donné qu'il avait stationné à Vienne de 1945 à 1955 en qualité de colonel de l'Armée rouge lorsque les Soviétiques occupaient la capitale autrichienne avec les Alliés, il nous avait suggéré, naïvement, de nous diriger vers le secteur de l'ancien QG militaire russe. D'après lui, le souvenir laissé par les Russes était si bon que des Viennois n'hésiteraient pas à nous héberger. Bon dieu !

Avec le modeste pécule qui nous avait été alloué, nous avions juste de quoi nous acheter du pain et des patates. Ma femme a commencé à déprimer et à pleurer. Tous deux souhaitions partir pour Londres, pas pour les États-Unis. Mais, à l'époque, seuls le Canada et les États-Unis offraient l'asile politique aux expulsés soviétiques. Ni Elena ni moi n'avions envie d'aller en Amérique. Finalement la fondation Tolstoï nous a envoyés à New York. Mais le voyage passait par l'Italie, où nous devions encore patienter quelques mois.

À Rome, les agents du renseignement de l'ambassade américaine ont procédé à notre « *debriefing* », nous interrogeant sur notre vie en Union soviétique. Ils ont été déçus : nous n'avions aucune révélation à leur faire. La fondation Tolstoï nous logeait dans un appartement miteux, près de la gare centrale Termini. Nous partagions cette habitation avec douze personnes, dont trois travailleurs éthiopiens et des Juifs russes qui avaient quitté Israël, dont l'un, passionnant, Isaak Krasnov, était un ancien combattant des guerres des Six Jours et du Kippour au sein des forces spéciales.

L'hiver 1974-1975 s'est déroulé dans cette promis-cuité, sans presque aucune ressource économique. Moi, je voyais cela comme une situation intéressante. Elena s'enfonçait dans la déprime. Après la tentative de suicide par pendaison d'un de nos colocataires, son état psychologique ne s'est pas amélioré...

À la fois pour m'instruire et garder la forme, je par-tais tous les jours faire de longues promenades à pied comme je l'ai toujours fait partout où j'ai vécu. Chaque matin, je gravissais le mont San Nicolo, où j'admirais la statue de Giuseppe Garibaldi, en son-geant au destin de ce « père de la patrie » italienne. Puis je me dirigeais vers la basilique Saint-Pierre du Vatican, où *La Pietà* de Michel-Ange était encore endommagée par les coups de marteau assénés par un déséquilibré quelques mois auparavant. Je mar-chais ainsi pendant deux heures avant de retrouver Elena.

Rome me paraissait tout à fait étonnante, avec ses immeubles d'architecture fasciste tutoyant ces ruines qui ressemblent tellement à un décor de carton-pâte que j'ai toujours eu du mal à croire qu'elles fus-sent authentiques. Que la construction du Colisée remonte effectivement à Titus relève, pour moi, du mythe. À mon avis, il a été érigé au Moyen Âge.

Les années 1970, c'était l'époque des Brigades rouges. Attentats, assassinats politiques, manifesta-tions : l'Italie était un baril de poudre. Il se passait

tous les jours quelque chose. Après le grand sommeil soviétique, c'était réjouissant de se retrouver
plongé dans une société hyperpolitisée. Un jour que
j'avais rendez-vous avec un professeur de littérature
russe à l'université de Rome, Angelino Ripellino, je
me retrouve au beau milieu d'une bataille rangée
entre étudiants et Carabinieri. Les pavés volaient, les
gens couraient dans tous les sens, le tout dans un
feu d'artifice de cocktails Molotov et de gaz lacry-
mogène hallucinant. Et ça gueulait... Et ça criait...
Quel formidable bordel ! J'étais ravi. Enfin, la vraie
vie !

Finalement, nous avons embarqué pour New York
le 24 février 1975. Une fois dans l'appareil, le commandant de bord nous a annoncé que tous les passagers devaient débarquer afin d'identifier leurs
bagages de soute. Les gens étaient hors d'eux car
la procédure était interminable et, en plein hiver,
nous devions attendre sur le tarmac, dans le froid.
Un frisson s'est emparé des passagers lorsque, après
un certain temps, nous avons appris que Renato
Curcio, le cofondateur des Brigades rouges, s'était
évadé de prison quelques heures auparavant. Mais
pourquoi s'être fait la belle, précisément le jour où
nous nous envolions pour New York ?

New York

1975-1980

> « Avec tout ce fric,
> je peux faire la révolution
> en Russie demain matin. »

Limonov débarque aux États-Unis deux mois avant la chute de Saïgon, qui marque la fin de la guerre du Vietnam par la défaite américaine. À New York, Limonov fréquente le milieu punk, les boîtes disco, les bas-fonds mais également le grand monde (Dali, Warhol, Barychnikov, etc.). Tout en travaillant au manuscrit de son premier roman autobiographique, il trouve un emploi chez un millionnaire new-yorkais, dont il devient le majordome. Après sa séparation d'avec Elena, sa vie sexuelle est débridée.

Après avoir vécu à Kharkov, Moscou, Vienne et Rome, quelle furent vos premières impressions de New York, la « capitale du monde » ?

Nous avons débarqué à New York dans la nuit totale. Des bus immenses nous ont conduits dans un hôtel défraîchi situé à Manhattan. Sur le trajet, la première chose qui m'a frappé était cette image, caractéristique de l'hiver new-yorkais, des trottoirs qui crachent de la fumée. J'ai eu une vision surréaliste. Putain, ai-je pensé, cette fumée qui part du sous-sol s'échappe probablement des cuisines du diable ! Arrivé à l'hôtel, j'ai eu une autre surprise : tous les employés – managers, réceptionnistes, grooms, femmes de chambres – ou presque étaient des Noirs. Pour moi, à l'époque, c'était exotique, du jamais vu.

Le lendemain matin, à l'aurore, tandis que ma femme dormait, je suis parti à pied à la découverte de la Grande Pomme. Une fois dans la rue, j'ai vu l'Empire State Building et j'ai pris conscience de la dimension vertigineuse des gratte-ciel : j'avais soudain l'impression d'être un insecte rampant. Je me voyais comme un cafard longeant des meubles et des pieds de table. Effrayé, j'ai écourté ma promenade afin de rentrer à l'hôtel et de reprendre mes esprits. Tout ça, c'était trop.

Comment avez-vous trouvé vos marques dans cette ville trépidante ?

La fondation Tolstoï nous a alloué un pécule avec lequel j'ai loué, pour 230 dollars, un appartement infesté de cafards – des vrais cafards, cette fois ! – situé sur l'avenue Lexington. J'ai trouvé un emploi de correcteur dans le journal russe *Novoïé Rousskoïé Slovo*[1] tandis qu'Elena a commencé à travailler pour Zoli, une petite agence de mannequin connue pour ses modèles « hors normes » et autour de laquelle tournaient des tas de gens célèbres.

J'ai été présenté à Joseph Brodsky[2] qui, à son tour, nous a présentés à Alex Lieberman et sa femme Tatiana Yakovleva, deux figures brillantes et incontournables de l'exil russe. Artiste peintre et directeur artistique de *Vogue*, Alex était l'un des dirigeants du groupe de presse Condé Nast. Tatiana, elle, était une célébrité dans l'histoire de la littérature russe pour avoir été, à Paris, la maîtresse du poète Vladimir Maïakovski[3]. Alex et Tatiana, qui avaient de l'entregent, organisaient des soirées très courues, où nous étions régulièrement invités. On y croisait des gens comme Andy Warhol, Susan Sontag, Truman Capote ou encore le photographe Richard Avedon.

---

1. La nouvelle parole russe.
2. Le futur prix Nobel de littérature 1987.
3. Ce dernier est décédé en 1930.

Comment était le roi du pop art ?

J'ai rencontré Andy Warhol plusieurs fois. La première fois, il m'a abordé dans la rue, en plein New York, pour me demander de la monnaie pour téléphoner depuis une cabine. Une rencontre totalement fortuite. La deuxième, c'était chez les Lieberman. On m'a présenté à lui et il ne m'a évidemment pas reconnu. La scène s'est répétée plusieurs fois, chez les Lieberman : à chaque fois que je lui étais présenté, il ne se souvenait pas de moi ; pour lui, je n'étais personne.

J'évoque nos rencontres, dans mon *Livre des morts*[4], où je parle aussi d'Alexander et Tatiana. Mais, parmi tous ces gens célèbres, j'étais complexé : après tout, je n'étais rien à côté d'eux. J'avais le sentiment désagréable qu'ils ne me voyaient même pas. Or, à l'époque, mon ambition était d'être reconnu. Voilà pourquoi je me suis tant battu pour publier mon premier manuscrit ; cela m'a pris quatre années. J'ai commencé la rédaction du *Poète russe préfère les grands nègres* en 1976 et… il n'a été publié que quatre ans plus tard, mais en France.

Quels étaient vos rapports avec l'écrivain dissident Joseph Brodsky ?

Au début, il m'a accueilli chaleureusement. Il appréciait mon talent. Il a d'ailleurs préfacé la publication de plusieurs de mes poèmes dans la

---

4. Ouvrage non traduit.

revue *Kontinent*. Mais lorsque je lui ai donné à lire le manuscrit du *Poète russe*, son avis a été négatif. Cela m'a agacé. Personne n'est obligé d'aimer mes œuvres ni ma personne. Mais ses remarques étaient banales et tellement débiles... Il m'a, par exemple, affirmé que des auteurs occidentaux avaient déjà écrit la même chose mais en mieux. Je savais pertinemment que c'était faux. Mon texte était fort et personne n'en avait jamais écrit de semblable. Au même moment, d'autres personnes de mon entourage new-yorkais me manifestaient leur grande admiration. Et ce n'était pas n'importe qui !

Le danseur et chorégraphe Mikhaïl Barychnikov, à qui j'avais donné à lire le manuscrit, en faisait la lecture à voix haute pendant les pauses de ses répétitions. Barychnikov était tellement enthousiaste qu'il m'a invité chez lui pour que l'on parle littérature. Selon lui, *Le poète russe* était un livre formidable, très moderne, très frais, et bien supérieur, par exemple, à la littérature de Henry Miller. Le violoncelliste Mstislav Rostropovitch, était également emballé : « Si Limonov persiste dans l'anticonformiste, disait-il, il ira plus loin que ceux qui nagent avec le courant. » Son avis était précieux car Rostropovitch avait de l'instinct. Je savais que c'était un homme de marketing à nul autre pareil, flairant les bons coups, comme il l'a démontré en novembre 1989 en jouant devant les caméras du monde entier lors de la chute du mur de Berlin.

La réaction de Brodsky démontrait seulement que j'étais trop subversif pour un tas de gens. Prisonniers de leur conformisme, ils ne supportaient pas ma mise en cause de la société américaine. Pour eux, critiquer la société qui m'avait accueillie, c'était aller trop loin. Je leur répondais : « Au nom de quoi n'aurais-je pas le droit d'attaquer les États-Unis ? » Il faut toujours attaquer. Dans la vie, comme dans la littérature, il est bon d'être agressif. Comme l'a écrit le biologiste Konrad Lorenz dans les années 1970, « l'agressivité est l'une des qualités essentielles de l'homme ».

Parmi la ribambelle de célébrités que vous avez connues figure également Salvador Dali.

J'ai effectivement fait la connaissance de cette merde.

Ai-je bien compris : vous trouvez que Dali, c'est de la merde ?

Oui, c'est un personnage grotesque dont l'art est assez merdique. Cela me paraît évident. Je connais très bien la peinture du XXe siècle, y compris les surréalistes. J'ai lu énormément sur le sujet. J'ai toujours pensé que Dali, c'était de l'art de seconde catégorie. Magritte, lui, est lucide. Il n'a pas besoin de recourir aux fioritures et aux artifices. Dali a un côté paysan. Et c'est un Espagnol, avec tout ce que cela comporte d'excès. Il a beaucoup plus à voir avec les muralistes mexicains comme Diego Rivera qu'avec le mouvement surréaliste. À mon avis, Dali est un minable.

Je l'ai rencontré plusieurs fois. Il était repoussant, avec sa tête affreuse. En plus, c'était un type faux, qui avait besoin d'attitudes. Une fois, je l'ai vu débarquer dans la rédaction du *New York Times* accompagné d'un nain, comme dans le film de James Bond. Ri-di-cule. J'avais rendez-vous avec Charlotte Curtis, rédactrice en chef des pages « Opinions ». Vingt personnes environ, dont moi-même, attendaient d'être reçues. Soudain, ce pitre de Dali a débarqué, escorté par son nain, pour faire un esclandre au motif que le *New York Times* l'avait éreinté. Il est passé devant tout le monde. Charlotte Curtis semblait navrée par sa grossièreté.

Comment était New York à la fin des années 1970 ?

C'était sans doute la meilleure époque pour y vivre. Cela tient au fait que la ville était déglinguée. Des gens comme moi, jeunes, pauvres et souvent sans emploi pouvaient vivre en plein cœur de Manhattan où les loyers étaient très abordables. La vie était facile. Dans la foulée de la révolution sexuelle des années 1960, les relations entre hommes et femmes étaient très faciles. Rencontrer une fille, coucher avec elle, était aussi simple qu'aller boire un verre.

Le Studio 54 était le lieu emblématique de l'époque. Boîte de nuit mythique ouverte en avril 1977, elle revendiquait le titre de « plus grande boîte de nuit de tous les temps », ce qui était sans doute vrai. Elle voyait défiler les grandes stars du moment, de John Travolta à Mick Jagger, lesquelles se mêlaient facilement aux anonymes. Situé dans un ancien studio de télévision de CBS, ce temple du disco était aussi celui du sexe. Au premier balcon, vestige d'un ancien théâtre, tout le monde baisait dans les coins, sans complexe, complètement désinhibé. Dans cet endroit étonnant, la drogue (LSD, cocaïne, etc.) circulait allègrement.

Avez-vous participé aux festivités ?

J'ai fait comme tout le monde.

Quelle place la sexualité occupe-t-elle dans votre vie ?

Durant ma jeunesse, la sexualité était au cœur de mes préoccupations, comme c'est le cas pour beaucoup de jeunes hommes. Je me disais que si je n'assurais pas de ce côté-là, ma femme risquerait de me quitter. Chaque jour, je voulais me prouver que j'étais un homme. La sexualité est indispensable à tous les âges de la vie. C'est la drogue de la vie. C'est la vie même.

Avez-vous suivi l'affaire Strauss-Kahn, où il est question de sexualité et de prostitution ?

Oui, et avec beaucoup d'intérêt. Ma lecture de l'affaire DSK est la suivante : j'y vois l'histoire d'un chantage sur un politicien riche et d'âge mûr qui se comporte comme un adolescent parce qu'il a des besoins sexuels supérieurs à la moyenne. Cela peut être monté par les services secrets. En Russie, ce genre de manipulation est monnaie courante. Des officines liées de près ou de loin au FSB[5] piègent des opposants en envoyant dans leur lit des prostituées en service commandé. Elles se présentent sous les traits de jeunes étudiantes, vous séduisent, vous entraînent dans leur lit. Ce que vous ignorez, c'est que leur chambre à coucher est truffée de caméras. Ensuite, la vidéo de vos ébats est publiée sur le Net. Objectif : discréditer les adversaires du régime. Je sais de quoi je parle, comme des dizaines de personnalités publiques, j'ai personnellement été victime d'une telle machination en 2010. Mais dans mon cas, cela a été plutôt positif. Les gens se sont dit : « Waou ! À presque 70 ans, il assure encore, Limonov, avec une nana de 25 ans ! »

---

5. Ex-KGB.

Est-ce que la prostitution vous choque ?

Mais rien ne me choque ! La mort ne me choque pas, alors la prostitution... Mais arrêtons de parler de cela ! On dirait que les Occidentaux sont obsédés par ce sujet-là. Chez nous, en Russie, on n'est pas, comme vous, tourmenté par le sexe. À mon avis, l'éducation des Occidentaux s'apparente à un dressage. Les Russes, comme les Africains, sont plus détendus et naturels vis-à-vis de la sexualité.

Une autre adresse mythique du New York des années 1970 était le CBGB, où est né le rock *underground*. Quels souvenirs en gardez-vous ?

C'est Marc Bell *alias* Marky Ramone qui m'a fait connaître l'endroit – par l'intermédiaire de nos fiancées respectives, j'étais en effet devenu l'ami du futur batteur des Ramones. L'esprit CBGB's, considéré comme le berceau de la musique punk, était à l'opposé de celui du Studio 54, temple du disco. Club *underground* inauguré en 1973, il a vu défiler tous les grands noms de l'époque : Patti Smith, Elvis Costello, The Clash, les Ramones, Blondie, et j'en passe. J'ai vu tous ces gens-là et j'ai été parmi les premiers à écouter leur musique.

Marc Bell a d'abord travaillé avec Richard Hell, chanteur, compositeur et poète, très influent dans le mouvement punk américain au point que les

Sex Pistols sont considérés comme ses disciples. En 1977, Richard Hell & the Voidoids a sorti l'album *Blank Generation*[6] qui a influencé de nombreux groupes punk. C'est lui aussi qui, le premier a arboré une coiffure hérissée ainsi que des épingles à nourrice à ses vêtements. L'inventeur du look punk, c'est lui.

Qu'est-ce qui vous attirait dans le mouvement punk ?

C'était un vrai nihilisme, un vrai anarchisme. C'est le mouvement le plus politisé de toute l'histoire de la musique. C'est une musique de révolte. Personnellement, j'ai toujours été très sceptique à l'égard des Beatles. Trop sucré, trop bourgeois. En fait, jusqu'à ce jour, leur musique m'écœure. Quand le mouvement punk a fait son apparition, j'ai pensé : « Voilà quelque chose pour moi. » Devenu écrivain, je me voyais comme le Johnny Rotten de la littérature[7]. Mes premiers livres, *Le poète russe préfère les grands nègres* et *Journal d'un raté*, sont évidemment écrits sous l'influence de ce mouvement. Aujourd'hui, si vous estimez que je suis un punk, cela me convient. Il m'arrive d'ailleurs encore d'écouter de la musique punk, mais rarement. Le problème, c'est que tous mes disques en vinyle et mes cassettes ont été engloutis par le temps. Lorsque j'ai quitté

---

6. Génération vide.
7. Johnny Rotten était le chanteur emblématique du groupe punk Sex Pistols.

Paris pour Moscou et, plus encore, lorsque je suis sorti de prison en 2003, je me suis retrouvé sans rien. Ni livres, ni disques, ni meubles. Finalement, c'est mieux comme ça. Posséder des objets, les voir prendre la poussière, me répugne. Aujourd'hui, je me débarrasse de la plupart des biens matériels que je possède. Jeter à la poubelle est une activité très satisfaisante. Après, je me sens plus léger, rajeuni.

Il est rare de rencontrer quelqu'un qui se dit « écœuré » par les Beatles. Vous détestez tout ce que les autres apprécient, c'est ça ?

Le punk est un mouvement antibourgeois et, moi, je suis antibourgeois. Je suis né avec le mépris de ces gens-là. Je leur reproche la même chose que leur reprochait Flaubert : leur énorme vulgarité et le plaisir qu'ils prennent à rendre vulgaire tout ce qu'ils touchent. Sous des dehors placides, les bourgeois constituent une espèce agressive, cupide, gloutonne, tout à fait méprisable. Même leur apparence est dégoûtante. Regardez comme Boris Nemtsov[8] paraît content de lui. Regardez, en France, comme le visage de Bernard Pivot est sans volonté. Regardez comme Bernard-Henri Lévy, le troubadour de la bourgeoisie, française, est vulgaire.

---

8. Ancien vice Premier ministre de Boris Eltsine et actuel opposant à Vladimir Poutine.

Mais qu'y a-t-il de vulgaire chez lui ? J'aimerais comprendre...

Bonne question ! La réponse est : tout ! BHL est toujours du côté du plus fort, toujours du côté de l'ordre établi. Même le visage de BHL n'est pas supportable.

Quel curieux critère, venant d'un intellectuel ! On ne juge pas les gens sur leur gueule.

Bien sûr que si. L'apparence, c'est très important. N'allez pas chercher plus loin. Le physique, c'est notre carte de visite, notre essence. J'ai toujours jugé les gens sur leur apparence, leur allure, et je ne me suis presque jamais trompé. Pour qui a le regard aiguisé, observer la physionomie permet de se faire une idée des gens assez précise. Il faut détailler les visages. Ils indiquent si la personne qui se cache derrière possède une énergie ou non. Mais l'apparence, c'est un ensemble de choses qui comprend aussi le vocabulaire, l'intonation et la forme des phrases, le diapason de la voix, la manière de se tenir, etc. Les femmes comprennent très bien cela. Elles identifient facilement les mâles dominants. J'avais une amie russe qui, en observant les hommes dans la rue, était capable de me dire : « Celui-ci baise mal ; celui-là baise bien, etc. » Elle m'a convaincu de la justesse de sa méthode.

À New York, vous êtes entré, comme majordome, au service du millionnaire Peter Sprague, coprésident de la firme automobile anglaise Aston Martin. De cette expérience, vous avez tiré un récit, publié chez Ramsay, *Histoire de son serviteur*. Étiez-vous jaloux de la fortune de votre maître ?

Non. J'étais avant tout content d'entrer dans un monde aussi fermé que celui des super-riches. C'était intéressant. Cela dépassait mes espérances. Mais, non, je n'étais pas jaloux. En revanche, je pensais aux possibilités énormes qui, en théorie, s'ouvraient devant moi. Avec tout ce fric, me disais-je, je peux faire la révolution en Russie demain matin. J'étais étonné que mon employeur l'utilise pour des choses aussi vaines que le rachat d'entreprises ou l'acquisition de voitures de luxe dans lesquelles il paradait. Sa vie elle-même, sans grand intérêt, ne me paraissait pas être au niveau de sa richesse.

Qu'auriez-vous fait à sa place ?

Quand on en possède les moyens, il faut transformer le monde. Il faut intervenir dans ses mécanismes de décision, non pas mener une vie minable comme celles de Bill Gates[9] ou de feu Steve Jobs[10], des types apathiques, sans envergure.

---

9. Microsoft.
10. Apple.

On peut difficilement soutenir que Steve Jobs n'a rien inventé ni rien changé au monde !

Je ne dis pas qu'il était stupide. Mais pour un homme de vieille souche comme moi, qui a toujours été fasciné par l'histoire, les transformations sociales, et par les choses bizarres comme l'invention du calendrier républicain sous la Révolution française[11] leurs ambitions me paraissent dérisoires. À l'époque, je me voyais plutôt comme le personnage de Joker dans *Batman*[12]. Comme lui, je rêvais d'avoir ma gueule sur les billets de 1 dollar. Aujourd'hui je me contenterais d'avoir mon effigie sur les coupures de 100 roubles ! (rire sardonique.)

Je résume : vous détestez les bourgeois, les riches sont minables et dans *Le discours d'une grande gueule coiffée d'une*

---

11. Ce calendrier a été utilisé de 1792 à 1806.
12. Dans la très complète et savoureuse biographie fictive consacrée à l'ennemi juré de Batman sur le site Wikipédia, on peut lire : « Une psychiatre a avancé le fait que le Joker possède un "super-équilibre mental". Dans le monde où il vit, il est obligé de se réinventer chaque jour, passant par exemple du clown blagueur au tueur en série complètement fou, d'où son côté imprévisible. En dépit de ces "transformations quotidiennes", certains traits de caractère subsistent : il est rusé, sadique, complètement égocentrique, et fait de l'humour à tout bout de champ, bien que ses blagues soient très douteuses. Par ailleurs, il est conscient de sa propre folie mais se voit comme irrécupérable. »

casquette de prolo[13]**, vous écrivez que vous ne supportez pas la vision des pauvres.**

J'ai simplement écrit que je n'aimais pas *voir* des pauvres autour de moi. C'est vrai. Eh, quoi ? Cela ne signifie pas que la pauvreté ne me révolte pas. Je suis socialiste, après tout. Et je suis convaincu qu'il faut défendre les droits des faibles et donner à chacun les mêmes possibilités de s'élever dans la société. J'ai moi-même été prolo pendant vingt ans. J'ai commencé ma carrière d'ouvrier à 16 ans comme monteur à Kharkov en 1960 et l'ai terminé en 1980 comme homme de ménage et cuisinier chez un businessman millionnaire. J'ai tout à fait le droit de ne pas avoir envie d'être entouré de prolos. C'est une condition sociale qui devrait être temporaire. Les jeunes devraient passer par là pour avoir du plomb dans la cervelle. Mais être prolo doit être un état temporaire, transitoire. Le problème, c'est que beaucoup de gens n'ont pas le talent pour s'extraire de leur situation. S'ils se comportent comme des singes, c'est leur faute. À tout prendre, je préfère les aristocrates : chez certains, j'admire l'absence de chichis, si présents chez les bourgeois et le naturel avec lequel ils traitent les serveurs de restaurant et les gens à leur service.

---

13. *Le discours d'une grande gueule coiffée d'une casquette de prolo*, Le Dilettante, 1991.

Dans le livre qu'il vous a consacré, Emmanuel Carrère reprend une scène proprement hallucinante, puisée dans *L'histoire de son serviteur*, où, un soir, vous tenez Kurt Waldheim dans le viseur d'un fusil appartenant à votre maître. Le secrétaire général des Nations Unies se trouve alors dans le jardin de la maison où vous travaillez, en train de participer à un cocktail mondain. Que s'est-il passé dans votre tête à ce moment-là ?

Je ne vais pas vous répondre. Je ne vais pas m'accuser moi-même ni vous dire si cette scène est réelle ou fausse. Tout ce que je peux vous dire, c'est que deux ans après avoir quitté New York et m'être établi à Paris, le secrétaire de mon ancien « *boss* » m'a appelé pour me dire que Kurt Waldheim avait téléphoné. Il cherchait à me parler. J'ignore pourquoi. Cela reste pour moi un mystère, emporté par Kurt Waldheim dans sa tombe.

Paris
1980-1989

« À *L'Idiot international,*
j'ai trouvé la bande
de copains dont je rêvais. »

À Paris, où Limonov débarque alors que Giscard est,
pour quelques mois encore, le locataire de l'Élysée,
l'exilé russe devient rapidement une figure du milieu
littéraire. Installé dans une soupente du quartier du
Marais, l'écrivain suit avec intérêt l'actualité d'une
décennie riche en événements : multiplication des
attentats pro-palestiniens, montée du Front national,
cohabitation Chirac-Mitterrand, émergence du phénomène Bernard Tapie, démantèlement d'Action
directe et, finalement, chute du mur de Berlin. Au
fil des années 1980, Edouard Limonov publie une
dizaine de livres à Paris.

**En 1980, nouveau virage à 90 degrés :
en quelques semaines, vous décidez de
quitter New York pour Paris. La décision
a-t-elle été difficile à prendre ?**

J'avais signé un vague contrat avec l'éditeur parisien
Jean-Jacques Pauvert par l'intermédiaire d'un Russe
de Paris, Nicolas Bokov. Pauvert était séduit par
Le poète russe préfère les grands nègres, mon manuscrit écrit en 1976. Cependant, au printemps 1980,
Jean-Jacques Pauvert s'était déclaré en faillite. Malgré
cela, j'ai tout de même décidé de partir pour Paris.
Il faut savoir jouer son destin sur un coup de dés.
Prendre des risques, c'est très important. À New
York, j'avais une situation bien établie : majordome
au service d'un millionnaire, c'est un job intéressant
et bien payé. Lorsque, autour de moi, j'ai annoncé
mon départ, ma copine de l'époque m'a dit : « Tu es
dingue ; mais qu'est-ce que tu espères ? Personne ne
t'attend à Paris, reste à New York. » Moi je savais que
c'était ma seule chance, infime, d'être édité. Quelques
mois plus tard, en novembre, je publiais *Le poète russe
préfère les grands nègres*. Si j'avais écouté tous leurs
conseils inutiles, je ne serais pas devenu écrivain.

Alors, j'ai abandonné derrière moi ma confortable
situation et tout mon réseau de connaissances pour
tenter ma chance à Paris, où personne ne savait qui
j'étais. À l'aéroport JFK, j'ai eu une altercation avec
une passagère. Cette conne m'avait doublé dans la
queue au moment de déposer les bagages dans la

machine à rayons X. Pour l'emmerder, j'ai posé mes affaires sur les siennes. Elle m'a dit de les enlever. Je lui ai dit de fermer sa gueule. Alors, j'ai réalisé qu'il s'agissait de l'actrice Nastassja Kinski. Une dispute avec une fille aussi belle, célèbre et insolente : j'ai pris ça comme un signe positif. Et je me suis dit : « À nous deux, Paris ! »

Quelle est la première chose que vous avez faite en débarquant à Paris ?

Je suis arrivé à Roissy le 22 mai 1980. J'ai aussitôt pris rendez-vous avec Jean-Jacques Pauvert dont je connaissais la réputation sulfureuse en tant qu'éditeur de l'œuvre intégrale du marquis de Sade et des surréalistes, notamment André Breton. Comme je l'ai déjà dit, sa maison d'édition venait de faire faillite. Mais, rapidement, il est devenu directeur de collection chez Ramsay et m'a fixé rendez-vous. J'y suis allé avec une fille blonde, chic et très belle, afin d'être plus convaincant et de l'impressionner. Jean-Pierre Ramsay était également présent. La rencontre a eu lieu dans ses bureaux situés à proximité du jardin du Luxembourg, au 27, rue de Fleurus, dans l'ancien appartement de Gertrude Stein. C'est là où, au début du siècle dernier, l'écrivain et poétesse américaine recevait l'avant-garde du monde entier : Hemingway, Tristan Tzara, Pablo Picasso, Henri Matisse, Francis Picabia, tous les cubistes, etc. J'étais enchanté de voir ma carrière démarrer dans un lieu aussi symbolique.

C'est peu dire que le titre de votre premier livre, *Le poète russe préfère les grands nègres*, était fait pour frapper les esprits...

À l'origine, mon manuscrit s'intitulait *Ia, Editchka* – Moi, le petit Eddy. Pour la version russe, ce titre a été conservé mais, en France, cela n'évoquait rien à personne. Il fallait trouver mieux. Nous avons passé deux ou trois heures à le trouver. Pauvert, Ramsay et moi étions en mal d'inspiration quand soudain, sur une table basse, j'ai avisé un livre consacré à Marilyn Monroe : *Les hommes préfèrent les blondes*. Alors j'ai lancé, en riant : « *Je préfère les grands nègres* : le voilà, le titre ! » Jean-Jacques Pauvert a surenchéri : « *Le poète russe préfère les grands nègres* ! »

Ensuite, nous avons parlé argent. Comme tous mes éditeurs successifs, Pauvert et Ramsay ont été surpris par ma manière de négocier mes droits d'auteurs. « Nos auteurs français ont des exigences beaucoup plus modestes », me disaient-ils, persuadés que mon séjour aux États-Unis avait fait de moi un businessman avisé. Je répliquais : « Mais vos écrivains français sont peut-être des fils à papa que les familles soutiennent financièrement ; peut-être, même, possèdent-ils un appartement dans un quartier bourgeois. Moi, je suis seul à Paris, je dois survivre, payer mon loyer, etc. » Ils ont cédé. J'ai obtenu ce que je voulais : 48 000 francs, si je me souviens bien. Pour un inconnu complet comme moi, c'était une somme. Par la suite, mes tarifs, chez Ramsay, sont montés à 70 000 francs. Ma plus grande victoire, c'est d'avoir obtenu 120 000 francs pour les 135 pages de *La Grande Époque*, chez Flammarion.

Quelle était l'ambiance du Paris des années 1980 ?

Paris était la capitale mondiale de la culture, elle dégageait une énergie extraordinaire, exactement comme New York dans les années 1970. Au début des années 1980, c'était une ville encore assez abordable où il était possible de vivre en plein centre-ville pour pas cher. Je me suis installé dans le Marais, qui était alors un quartier populaire. J'ai d'abord vécu au 54, rue des Archives, puis au 25, rue des Écouffes, en plein quartier juif, et, plus tard, à l'angle de la rue de Turenne et de la rue du Pont-aux-Choux. J'étais plutôt dans la dèche, locataire d'une soupente avec chiottes sur le palier. Après chaque journée d'écriture, j'allais me promener au bord de la Seine. J'ai fait des milliers de kilomètres dans les rues de Moscou, de Vienne, de Rome, de New York et de Paris, que j'ai fini par connaître comme ma poche.

La notoriété et la reconnaissance dont j'avais rêvé à New York ont fini par arriver à Paris. Je me souviens avoir été invité sur le plateau de *Bains de minuit*, une émission de Thierry Ardisson en compagnie de Vanessa Paradis, de Jean-François Deniau, de Jacques Chaban-Delmas. Plus tard, j'ai lu *Confessions d'un baby-boomer* de l'animateur télé : Ardisson est un type vaniteux, mais tous les gens de télé le sont. New York a connu son âge d'or dans les années 1970 ; Paris a connu le sien pendant la décennie suivante. À chaque fois, j'étais là, au bon moment.

À quoi rêviez-vous à l'époque ?

Je voulais maîtriser la langue française jusqu'à l'excellence afin de devenir un écrivain connu. J'ai abandonné cette idée, je ne me voyais pas finir en académicien pédophile et alcoolique ! Cette perspective me dégoûtait. Pouah !

Il est frappant de constater à quel point la critique parisienne de l'époque vous était favorable. Et cela dès la publication de votre premier livre, suivi par une dizaine d'ouvrages pour la seule décennie 1980. À quoi attribuez-vous ce succès ?

C'est facile à comprendre. À l'époque, la littérature de mon pays était soit pro-soviétique, soit antisoviétique. Plusieurs écrivains dissidents vivaient en France, respectés par leurs éditeurs. Mais la littérature est une chose vivante qui change constamment. Or, la littérature dissidente était devenue une chose ennuyeuse pour un pays aussi cultivé que la France. Il s'agissait d'un genre littéraire très spécifique, sombre, sinistre, focalisé sur la critique du système soviétique et, le plus souvent, privé de cette énergie vitale qui fait les bons livres.

Les auteurs antisoviétiques constituaient un ramassis d'écrivains pleurnichards, trop politisés et sans talent. Il suffit de regarder mes contemporains exilés, Alexandre Zinoviev ou Vladimir Maximov. Même Soljenitsyne était un auteur archaïque du fait de son amour immodéré pour la Russie d'avant la Révolution. Cela dit, les années passant, j'ai appris à admirer la grandeur de sa lutte – et sa victoire – contre le pouvoir soviétique. N'empêche qu'il a écrit plein de débilités.

Bref, je suis arrivé dans ce contexte. N'étant ni dissident ni soviétique, j'étais intéressant pour les éditeurs. J'apportais du sang neuf. J'étais nouveau. En outre, j'ai un vrai talent, ce qui est plutôt une denrée rare. Comme Céline, je suis arrivé dans un contexte où j'étais révolutionnaire par rapport à la génération précédente. À ce moment, j'étais vraiment le seul, parmi mes compatriotes, à écrire sans fioriture, dans le style simple et direct de la langue parlée. Et j'avais des choses à dire.

J'avais vécu et supporté toute la connerie du système soviétique. Puis j'avais résidé dans le pays du « rêve américain », à New York, la « capitale du monde ». Et pourtant, surprise, mon premier bouquin se permettait d'attaquer l'Amérique. L'édition allemande du *Poète russe* s'est d'ailleurs appelée *Fuck off, Amerika*. À Paris, où l'antiaméricanisme est une seconde nature, j'ai immédiatement rencontré un public qui me ressemblait : des alcooliques, des drogués, des branchés, des journalistes alternatifs, autant de gens qui étaient de loin la partie la plus recommandable de la population parisienne.

Votre style est parfois d'une extrême crudité. Dans certains passages, assez jouissifs d'ailleurs, vous n'hésitez pas à parler de merde, de chiasse, de sperme, de baise, de choses transgressives. Franchir certaines frontières est-il payant en littérature ?

Je ne calcule pas, ni ne me regarde écrire. Je n'use pas de ruse ni de stratagème. Je dis les choses que je pense devoir dire. Je m'exprime sans penser à mon style. En Amérique, j'ai commencé à lire en anglais dans le texte. J'ai beaucoup lu et admiré Hemingway pour son style sec, musclé, épuré, sans fioriture, tel qu'on le trouve dans *Les Tueurs*, sa nouvelle de 1927, étonnamment bien écrite[1]. Là, pas de bains de sang ni de scènes à suspense ; juste des conversations, dans un style très sec. Remarquable. Le style « trumancapotique » me plaît aussi énormément.

Aux États-Unis, puis en France, j'ai lu énormément. Quand j'aborde un auteur, je lis généralement son œuvre complète : je suis sans doute la seule personne au monde à avoir lu les trois volumes sopo-

---

1. Cette nouvelle a été formidablement adaptée au cinéma sous le titre *À bout portant* avec, dans les rôles principaux, Lee Marvin et… Ronald Reagan.

rifiques de l'œuvre dramatique du marquis de Sade, qui est d'un conventionnel achevé.

Les écrivains français m'ont appris l'amour des détails, ces petits détails, ces petites conneries qui donnent leur saveur aux meilleurs textes. J'admire la force de Céline dans *D'un château l'autre*. Cette rivière de mots ininterrompue, quelle puissance ! Céline est un écrivain très important, peut-être même génial. Mais je ne suis pas un admirateur inconditionnel. Prenez *Voyage au bout de la nuit*. Le premier tiers est exceptionnel, mais je ne me rappelle plus du dernier tiers. Cela traduit un défaut que l'on retrouve dans toute la littérature des années 1930, qui est, à l'image de la plupart des livres d'Henry Miller, souvent filandreuse. Pour revenir à Louis-Ferdinand Céline, il y a chez lui un pessimisme typiquement russe. Prenez un groupe de Russes : vous y trouverez toujours trois ou quatre types mécontents qui fulminent contre le monde entier, leurs dirigeants, leurs voisins de palier, le temps qu'il fait, que sais-je encore ?

Vous avez publié quarante-cinq livres : des recueils de poésie, des récits, des essais. Quel est, selon vous, le plus réussi ? Et où vous situez-vous en tant qu'écrivain ?

Pas quarante-cinq, mais cinquante et un ! Disons que j'ai réussi mon œuvre, ce qui est plus important que réussir un livre. En tant qu'écrivain, je suis un auteur russe important, et pas seulement en France. Parmi les vivants, je suis le meilleur, c'est évident. Et encore je dis cela avec l'objectivité et le recul d'un homme de 69 ans qui a beaucoup lu, et pas mal vécu.

À 15 ans, j'ai écrit mon premier poème. La poésie était un genre très prisé en Union soviétique. Après dix années – pas avant – je me suis dit que je pourrais passer à la prose. On ne peut pas écrire un roman à 15 ans : il faut d'abord avoir soi-même vécu des expériences. À eux seuls, mes recueils de jeunesse représentent un travail poétique considérable. Les professionnels disent que c'est une œuvre très originale, et qui restera. Aujourd'hui, je continue à écrire et à publier des poésies, ce qui peut paraître archaïque dans un pays comme la France où ce genre littéraire est inexistant. Mais je suis un classique, un homme de l'ancienne école.

À travers le succès du livre d'Emmanuel Carrère, le public français me connaît surtout comme poète, romancier et aventurier. Mais la moitié de mon œuvre est constituée de réflexions philosophiques ou de critiques politiques, tels que *Le Grand Hospice occidental* (1993), *La Sentinelle assassinée* (1995), *L'Anatomie des héros* (1998), *Hérésies* (2008), *L'Autre Russie* (2008)[2], etc. Malgré mon activité politique actuelle, je continue d'écrire. Cette année, en 2012, j'ai déjà publié deux livres en Russie, un recueil de poèmes et un roman.

---

2. Les trois derniers ouvrages cités n'ont pas été traduits en français.

En 1987, vous publiez *Oscar et les femmes* chez Ramsay, consacré à vos expériences dans l'univers sadomasochiste new-yorkais où vous, le « maître », dominez des femmes « esclaves » et « soumises ». Avez-vous observé que, depuis lors, l'esthétique « SM » a envahi la publicité et les podiums des défilés de mode ?

J'ai écrit *Oscar et les femmes* en 1985. *Oscar* était en avance sur son temps, avant-gardiste. Le livre a paru bien avant que les auteurs américains ne s'emparent de ce sujet. Même pour les éditeurs français – au pays de Sade ! – c'était osé et dérangeant. En 1977, à New York, j'ai découvert cet univers en mettant les pieds pour la première fois dans un club sado-maso. C'est ma petite amie Marilyn Masur, une photographe, qui m'y avait emmené la première fois. Nous y sommes retournés souvent. Mais, à l'époque, c'était interdit par la loi américaine. Parfois, au beau milieu de la soirée, la police effectuait des descentes. Une fois, nous avons été surpris en pleine action par des *policemen...* dont l'uniforme ne déparait d'ailleurs pas dans ce genre d'endroits.

Pour le ressortissant soviétique que j'étais, cet univers était intéressant et fascinant. C'était excitant aussi, cette liberté sexuelle. À ce stade de ma vie, elle me donnait la mesure du niveau de liberté que j'avais atteint. Je n'ai jamais pensé qu'il s'agissait d'une perversion. Au contraire, j'étais fier d'avoir bousculé des barrières.

Dix ans plus tard, j'ai publié *Oscar et les femmes* dont je regrette seulement l'imbécillité du titre. Mon éditeur et moi-même étions tombés d'accord pour l'intituler *Profession bourreau*. Mais les attachés de presse ont convaincu Jean-Pierre Ramsay que c'était un titre macabre, peu vendeur, qui effraierait les lecteurs. Quels cons ! Encore une preuve de la pruderie des petits-bourgeois parisiens... Ne savent-ils pas que les lecteurs aiment frissonner ? En prévision de la parution, j'avais participé à une séance de photos magnifiques et osées. J'y apparaissais en maître SM, vêtu de cuir et un fouet à la main, avec deux femmes nues et lascives rampant à mes pieds. Personne n'a osé les publier, hormis l'édition française de *Playboy* qui a sauvé quelques clichés, mais en petit format. Quel gâchis...

Le milieu littéraire parisien était-il conforme à ce que vous imaginiez avant d'arriver à Paris ?

Aux États-Unis, j'avais essentiellement côtoyé le peuple dont je comprends très bien la mentalité, la gestuelle, les mimiques. Je me sens très à l'aise avec les Américains, qui sont plus naturels et bavards que les Français. En France, j'ai plutôt fréquenté une certaine élite constituée de journalistes, d'éditeurs, d'écrivains, d'intellectuels, à commencer par Jean-Pierre Ramsay ou le poète Jean Ristat, héritier d'Aragon et éditeur du *Digraphe*, cette revue littéraire très raffinée. Je fréquentais aussi la librairie du Dilettante, peuplée d'anarchistes et de gauchistes : des gens très bien. Devenue une maison d'édition, Le Dilettante a publié ma nouvelle, *Salade niçoise*, en 1986.

À Paris, j'ai navigué entre les maisons d'édition : Ramsay, Albin Michel, Flammarion, Le Dilettante, Les Belles Lettres, Le Rocher. J'ai dynamité cette tradition française stupide selon laquelle les auteurs sont censés rester fidèles à une seule maison d'édition. Étant donné que j'écrivais au moins un livre par an, j'ai dit à mon agent : « Merde, je ne vais pas attendre que mes éditeurs daignent publier mes livres : ils doivent paraître dès qu'ils sont prêts. À eux de respecter *mon* rythme ! » Lorsque Albin Michel a refusé le manuscrit de *La Grande Époque*, je leur ai dit d'aller se faire foutre et je suis parti chez Flammarion. Je les ai dressés, les éditeurs.

Quelle était l'atmosphère dans les quartiers de Saint-Germain-des-Prés, fief du monde littéraire ?

Le petit monde de l'édition française n'est qu'une succession de cocktails mondains. Il m'est arrivé de rencontrer quelques écrivains français soi-disant

« importants », je les ai trouvés bourgeois, sérieux, vieux, ce indépendamment de leur âge, guindés, semblables à des professeurs. Ils n'ont pas cherché mon amitié, ni moi la leur. Les ayant vus une fois, je ne les ai plus revus.

Je me suis vite lassé de ces cocktails idiots où des castrés alcooliques vous répètent mécaniquement qu'ils sont ravis de vous voir, et gnagnagni et gnagnagna, avec des sourires crispés et dégoûtants. En fait, j'étais beaucoup plus intéressant pour eux qu'ils ne l'étaient pour moi. Après quelques années, j'ai cessé d'aller aux cocktails littéraires. Je préférais la compagnie des jolies filles ou celle de mes amis de la communauté internationale établie à Paris. Sans oublier, celle des auteurs du Dilettante, du *Digraphe* et de *L'Idiot international.*

Je n'aime pas les mondanités. Aujourd'hui encore, je préfère fréquenter mes gardes du corps, d'anciens taulards, des soldats, des adolescents en révolte, des fous furieux. N'importe qui, n'importe quoi, mais pas le monde sclérosé de la bourgeoisie.

En 1989, vous rejoigniez l'équipe de *L'Idiot international*, le journal pamphlétaire de Jean-Édern Hallier. Le début de votre disgrâce parisienne ?

Pas du tout. En réalité, dès que j'ai commencé à parler un peu français, j'ai ouvert ma gueule. Dès les premières années, à Paris, on me regardait comme une sorte de danger. Je n'étais pas totalement accepté. Je dérangeais. Je donnais des interviews et, en parlant de l'URSS, je demandais : « Mais pourquoi êtes-vous tellement obsédés par Staline ? Vous aussi vous avez votre monstre : Napoléon qui a tué des millions de personnes et rétabli l'esclavage ; laissez-nous la possibilité d'avoir le nôtre. Vous n'avez pas le monopole des monstres. » Les Français n'aimaient pas trop ce genre d'ironie. Des gens bien intentionnés me recommandaient la prudence. « Si tu continues, personne ne voudra te publier, ni même rédiger la critique de tes livres. » Les intellectuels français sont hantés par le passé et enfermés dans des dogmes. Ils vivent à l'époque du stalinisme et du nazisme. Leur univers est manichéen. Ils ne sont pas modernes. Leur grille de lecture politique a plusieurs décennies de retard. Aujourd'hui encore, ils analysent notre époque avec les lunettes du xxe siècle.

Heureusement, à *L'Idiot international*, j'ai trouvé la bande de copains dont je rêvais. L'équipe était un concentré de talents. Songez que parmi la liste des éligibles aux prix littéraires 2011, il y avait trois anciens collaborateurs : Charles Dantzig, Romain Slocombe, Morgan Sportès[3]. Ajoutez Michel Houellebecq, qui écrivait sur le théâtre, Patrick Besson, dont j'étais proche, Gilles Martin-Chauffier[4], Philippe Sollers ou encore ce grand emmerdeur

---

3. Prix Interallié pour « Tout, tout de suite ».
4. Aujourd'hui rédacteur en chef à *Paris Match*.

devant l'éternel qu'est Marc-Édouard Nabe et vous aurez une petite idée du joyeux bordel régnant chez Jean-Édern Hallier. Son appartement donnait sur la place des Vosges, non loin de la maison de Victor Hugo. Le dimanche, notre « brigade légère » – c'est ainsi que Jean-Édern nous désignait – se réunissait autour de repas, ou plutôt de banquets, servis par Louisa, sa gouvernante, dans des bassines en plastique. Il y avait vingt, trente convives, comme dans un banquet. Le vin coulait à flots. Mais personne n'était ivre.

Un dimanche, Jean-Marie Le Pen était annoncé. Finalement, c'est le syndicaliste Henri Krasucki[5] qui est arrivé ! Au piano, Philippe Sollers a entamé *L'Internationale*. La franche rigolade ! L'hymne communiste s'entendait jusque dans la rue. Sur la place des Vosges ensoleillée, les passants envieux, tournaient leurs regards en direction de nos fenêtres ouvertes en se demandant qui mettait une ambiance pareille.

Pouvez-vous décrire le maître des lieux ?

Formidable, explosif : il avait un style de vie « champagne ». Il nous enchantait par ses bons mots et ses formules. On l'appelait « Le Vieux ». Maintenant, c'est mon tour : les activistes de mon parti m'appellent également « Le Vieux »… Jean-Édern et moi vivions tous deux dans le Marais, mais, moi, dans une man-

5. Secrétaire général de la CGT.

sarde, au 86, rue de Turenne… Nous nous voyions souvent, généralement de bon matin. Il était insomniaque. Quand il n'allait pas bien, il m'appelait et je rappliquais car mon domicile n'était qu'à cinq minutes du sien : « Edouard, viens m'aider, je me sens mal », gémissait-il au bout du fil. En règle générale, il s'installait dans un petit café de la rue Saint-Antoine, Les Quatre mousquetaires, si ma mémoire est bonne. Dès le petit déjeuner, il carburait à la vodka. Quand il a commencé à me dire qu'il était menacé de mort par Mitterrand, je me suis dit qu'il exagérait. Plus tard, l'on a appris que Jean-Édern Hallier était dans la ligne de mire des services français pour avoir révélé l'existence de sa fille cachée Mazarine et son passé vichyste. « Le Vieux » n'était pas si délirant que cela.

Votre fonction à *L'Idiot international* ?

Jean-Édern tenait à ce que *L'Idiot* mérite de s'appeler *L'Idiot international*. Il a fait de moi le spécialiste de la Russie, et j'avais carte blanche sur le sujet. J'ai été le premier à critiquer la perestroïka dans un article intitulé « Le masochisme, politique d'État de l'URSS de Gorbatchev ». Comme je ne suis pas con mais qu'au contraire je suis un type astucieux, j'ai compris le premier que la fin de l'URSS signifiait le début d'un désordre mondial. J'ai aussi été le premier à écrire que Gorbatchev était un nul, un indécis – un avis aujourd'hui largement partagé. Ceux qui l'ont rencontré savent à quel point il est décevant.

En Occident, Gorbatchev passe pour un personnage glorieux. Mais 90 % des Russes le détestent car il a laissé se disloquer l'Empire soviétique en restant les bras croisés. Pour nous, c'est l'idiot du village porté au sommet du pouvoir. En laissant voler en éclats l'association des quinze républiques soviétiques, il a conduit l'URSS au suicide alors que cela n'était pas inéluctable. Gorbatchev a affaibli la Russie comme jamais. Et abandonné 27 millions de Russes derrière les frontières des républiques soudain devenues indépendantes, lesquelles, pour certaines, n'avaient pas particulièrement envie de quitter l'Union soviétique.

Certes, les Baltes voulaient l'indépendance, mais les Kazakhs n'y avaient même pas songé. L'indépendance leur est tombée du ciel alors que, dans l'histoire, le Kazakhstan, n'avait jamais été un État constitué. Plus de la moitié de la population y était russe. Toutes les villes du Nord étaient russes (les Kazakhs peuplaient surtout les campagnes). On y parlait russe. Toute l'industrie fonctionnait avec les travailleurs russes. Après la proclamation d'Indépendance, des millions de Russes se sont retrouvés sous la coupe d'un régime qui leur était hostile.

Ce n'est pas tout. Du jour au lendemain, l'URSS a abandonné toutes ses positions en Europe orientale, se retirant de RDA, de Hongrie, de Tchécoslovaquie, et ce sans rien négocier, sans aucune contrepartie. Le choc psychologique, le sentiment d'humiliation a été terrible. Mais Gorbatchev n'était pas un homme d'État ; il n'avait aucune vision historique. C'était un tout petit bonhomme qui n'en revenait pas lui-même d'être assis à la table de Ronald Reagan et de Margaret Thatcher. Pour comble de bêtise, il voulait leur plaire ! L'année dernière, ce personnage risible a fêté ses 80 ans au Royal Albert Hall de Londres, lors d'un gala de charité, en compagnie de... Sharon Stone et d'Arnold Schwarzenegger. Tout est dit.

Êtes-vous nostalgique de l'Union soviétique ?

Pas du tout. Je ne suis pas une personne qui regrette le passé. La nostalgie, c'est une faiblesse. Mais en tant que personne née dans les dernières années de la « Grande guerre patriotique[6] », j'éprouvais un sentiment de la loyauté vis-à-vis de ce grand empire. De la nostalgie, non.

Cependant, je ne crois pas que la disparition de l'Union soviétique était prédestinée ou inévitable. C'est un hasard historique qui l'a fait disparaître : pour se débarrasser de son rival qui présidait l'Union soviétique, Boris Eltsine, le président de la République de Russie, bourré comme toujours, s'est mis d'accord avec les présidents des Républiques d'Ukraine et de Biélorussie pour signer un traité mettant fin à l'URSS et, donc, à la fonction de

---

6. C'est-à-dire la Seconde Guerre mondiale, selon la terminologie russe.

Gorbatchev. Tout cela en descendant des litres de vodka. Pusillanime comme toujours, Gorbatchev n'a rien fait pour résister.

Au-delà des questions de personnes, quel bilan faites-vous des soixante-dix ans de communisme ?

Avant 1917, la Russie était un pays archaïque comparable à l'Inde, à la Chine ou à l'Iran de l'époque. La révolution bolchevique a revitalisé le pays et fait naître cette nouvelle puissance mondiale appelée Union soviétique. Dans celle-ci, le communisme agissait comme une sorte de religion puritaine dont le mode de vie spartiate, imposé par le haut, était plutôt bien accepté.

Yougoslavie
1990-1993

« Comparé à ses généraux, Karadžić était l'homme de la modération. »

Edouard Limonov conserve son appartement parisien mais, en pratique, il est souvent à l'étranger : en Union soviétique qui vit ses dernières heures et dont la dissolution est datée du 26 décembre 1991, et en Yougoslavie où une série de conflits éclate la même année. Cette guerre de Balkans, la plus meurtrière en Europe depuis la Seconde Guerre mondiale, fera entre 200 000 et 300 000 morts, jusqu'aux accords de Dayton en 1995. À contre-courant de la totalité des intellectuels français, Edouard Limonov prend partie pour les Serbes. Et va jusqu'à prendre les armes à leurs côtés.

Venons-en à votre problème avec l'intelligentsia française, qui remonte à votre engagement pro-serbe dans la guerre de Yougoslavie. Mais que diable alliez-vous faire dans cette galère ?

Tous les grands écrivains – Cervantès, Hemingway, Malraux, Orwell – ont aimé la guerre. La guerre est un lieu intéressant, comme la prison. L'homme s'y révèle dans ce qu'il a de meilleur ou de pire. C'est une activité tout à fait saine de voir la guerre de près, d'y participer, de s'y mesurer.

Votre première motivation était donc la curiosité.

Non, c'est plutôt mon instinct d'homme qui m'a poussé vers la guerre. Et le hasard a bien fait les choses. À l'automne 1991, je me trouvais à Belgrade pour promouvoir un de mes livres, le neuvième publié en Yougoslavie. Après cette présentation littéraire et la séance de signature, j'ai été approché par un groupe de militaires et de civils qui me connaissait par mes livres et, aussi, par mes articles publiés dans *Borba*, un journal yougoslave à grand tirage auquel je collaborais. « Voyez-vous, nous sommes ministres des républiques indépendantes de la région de Vukovar. Nous sommes en guerre là-bas : voudriez-vous nous accompagner pour voir à quoi ressemble un vrai conflit armé ? » C'était tentant. J'ai dit oui. « Eh bien, si vous le souhaitez, préparez vos affaires, nous partirons cette nuit. » Ça a commencé comme ça.

À 4 heures du matin, des militaires ont frappé à ma porte et nous nous sommes mis en route pour notre destination, Vukovar, pas très loin de Belgrade, à 150 kilomètres seulement. C'était la première guerre de ma vie. Nous sommes entrés dans Vukovar et, par la même occasion dans un décor des années 1940. Un paysage de ruines. Après avoir changé plusieurs fois de main, la ville était presque entièrement aplatie par les tirs d'artillerie. J'étais le premier journaliste étranger sur place. Certes, ce n'était pas la guerre de 1914, ce n'était pas le carnage de Verdun, mais c'était impressionnant, ces ruines fumantes. C'est la chose la plus terrible que j'ai vue sur le territoire serbe[1].

Ça vous a plu, la guerre ?

Je ne peux pas dire que cela m'a plu. Mais j'éprouve, c'est vrai, une certaine attirance pour cette situation où l'homme peut se mettre à l'épreuve et se prouver quelque chose. Là, je touchais du doigt une situation concrète et nouvelle pour moi. Cependant, un mois plus tard, j'ai quitté Vukovar par le pont du 23-Mai qui enjambe le Danube : je me suis dit que jamais je ne referais cette expérience épuisante. Car il s'agissait d'une guerre civile, qui est la variante la plus cruelle d'un conflit armé. D'autant qu'en

---

1. Vukovar se trouve aujourd'hui sur le territoire de la Croatie.

Yougoslavie, la géographie ethnique était inextricable. Chaque microprovince comptait des dizaines d'ethnies – serbe, croate, roumain, hongrois, tsigane, que sais-je encore – et chaque village avait sa propre armée. Les Balkans sont un amalgame de nationalités invraisemblable, un grand désordre. Comme je m'intéresse à l'histoire, je suis content d'avoir été le témoin de bouleversements historiques.

Durant ce mois passé à Vukovar, avez-vous porté les armes ?

Ça, je ne vous le dirai pas.

Il existe, en tout cas, ce fameux documentaire de la BBC sur lequel vous apparaissez, quelques mois plus tard, en compagnie du leader serbe Radovan Karadžić[2] sur une colline surplombant Sarajevo. À un moment, on voit un soldat qui vous initie au maniement du fusil-mitrailleur. Puis on vous voit tirer sans qu'on sache si c'est dans le vide ou sur la ville. Quoi qu'il en soit, pour la postérité, vous demeurez « l'intellectuel qui a tiré sur Sarajevo ». Qu'avez-vous à dire sur cet épisode-là ?

Rien. Je n'ai aucun désir de me...

---

2. Il est aujourd'hui inculpé par le Tribunal pénal international pour l'ex-Yougoslavie de Sarajevo emprisonné à La Haye.

... de vous justifier ?

Pourquoi devrais-je me justifier ? Demandez à votre pays, la France, de se justifier à propos des bombardements de Belgrade. Après, je vous donnerai des explications sur mon comportement. Je me suis comporté comme l'ami de mes amis. J'ai participé à une cause juste, celle des Serbes qui défendaient leur terre où ils avaient vécu des centaines d'années. Je n'ai pas besoin de me justifier.

Mais la Serbie, ce n'est pas votre terre, ce n'est pas votre combat !

Et alors ? La Libye, ce n'est pas la France ! Pourquoi la France a-t-elle bombardé la Libye comme elle a bombardé Belgrade ?

Je ne vous parle pas de la France : je vous parle de vous ! Pourquoi êtes-vous le seul intellectuel à avoir choisi le côté serbe ?

Tous les autres sont des petits cons, des idiots. Pour eux, bombarder la Serbie était un acte généreux tandis que se ranger, comme je l'ai fait, au côté des Serbes, était diabolique. La même chose s'est produite en 2011 : Bernard-Henri Lévy, le troubadour de la bourgeoisie française, les a convaincus qu'il y avait de la noblesse à bombarder la Libye. C'est toujours facile de prendre le parti des puissants. Il est beaucoup plus difficile et courageux de défendre les perdants de l'histoire. L'Europe entière a soutenu les séparatistes de la Yougoslavie, Croates et musulmans. Personne n'a soutenu la Serbie, sauf moi. Jusqu'au jour de ma mort, je pourrai me souvenir de mon comportement avec fierté.

Quels souvenirs gardez-vous du leader serbe Radovan Karadžić, sous les ordres duquel vous avez combattu ?

Comparé à ses généraux, Karadžić était l'homme de la modération. Sans être une colombe, il n'était pas un faucon. Les circonstances de la guerre civile l'ont poussé aux extrémités. La même chose s'est produite avec les leaders croates et musulmans.

Vous avez également fréquenté le célèbre paramilitaire Arkan, dont la milice, les Tigres d'Arkan, semaient la terreur là où il passait. Curieuse fréquentation...

Milošević, Karadžić, Arkan et tout un tas d'autres patriotes serbes, dont je ne peux pas donner les noms : j'ai toujours pensé que je devais avoir des relations avec des gens différents de moi-même et dont les vies sont intéressantes. Celle d'Arkan[3] ressemblait à un film d'aventures. Je me souviens de ma rencontre avec lui à l'hôtel Majestic de Belgrade, où il avait son quartier général. J'y

---

3. Recherché par Interpol, Arkan sera assassiné en 2000 sans avoir été traduit devant la justice internationale.

étais descendu dans l'espoir qu'Arkan m'aide à me rendre dans la République serbe autoproclamée de Krajina.

Quelle ambiance hollywoodienne il régnait dans cet hôtel ! Ne manquaient plus que Humphrey Bogart et Lauren Bacall. C'était la guerre, le pianiste jouait du jazz, des filles sublimes chantaient avec des bouquets de fleurs à la main. Dans le public, les soldats étaient subjugués. J'étais assis dans les premiers rangs quand le directeur du restaurant est venu me trouver et m'a dit : « Arkan vous attend à l'étage : prenez l'ascenseur spécial. » Je prends l'ascenseur, la porte s'ouvre devant une grande table, interminable, tout en longueur, au bout de laquelle il m'attendait. Un film. Les adultes, les adolescents, les enfants, les femmes aiment regarder ce genre de films. Moi, ce film, je l'ai vécu.

Mais Arkan était tout de même un salaud, un tueur, quelqu'un qui a supprimé des femmes et des enfants. Quelle sympathie un tel homme peut-il inspirer ?

Je ne crois pas du tout qu'il ait tué des enfants et des femmes. Les gens qui font cela sont des misérables et lui, c'était un héros, avec un code d'honneur. Qu'il ait été un criminel avant la guerre, cela est probable ; mais un sadique, non. C'est un type courageux qui a risqué sa peau quotidiennement afin de défendre sa terre et ses compatriotes. Lorsqu'il menait des hommes au combat, il était en première ligne. Pour son peuple, Arkan est un héros.

C'est facile de qualifier les gens de salauds. Mais, les choses sont plus compliquées que ça. Pour les Tchétchènes, le leader séparatiste Chamil Bassaïev[4] est un héros de la résistance. Certes, il a tué pas mal de mes compatriotes russes. Mais je dois être objectif : du point de vue tchétchène, il était absolument héroïque. Vous avez vu comment on lui a amputé la jambe ? C'était digne de la Rome ancienne. J'avoue avoir une certaine admiration pour sa bravoure. C'est la différence entre les intellectuels occidentaux et moi : ils pensent détenir la vérité universelle. Il n'y a pas de vérité universelle.

N'avez-vous pas eu le sentiment rétrospectif de vous être trompé de côté lorsque, après la guerre, le massacre de Srebrenica été révélé ?

Vous parlez de Srebrenica, très bien. Moi, le premier jour de mon arrivée à Vukovar, j'ai vu les corps de cinq enfants serbes torturés. J'ai pris des photos et j'avais froid dans le dos. J'ai compté environ 167 corps mutilés et torturés en un seul jour.

---

4. Il a notamment revendiqué la prise d'otage de l'école de Beslan en 2004 avant d'être assassiné en 2006.

Dans une guerre civile, c'est la barbarie d'un côté comme de l'autre. Mais qui êtes-vous pour juger seulement les Serbes ? Pour ce qui est du siège de Sarajevo, il existe les preuves de bombardements intentionnels provenant de l'artillerie musulmane sur les quartiers à Sarajevo. Ces provocations étaient orchestrées pour que les forces de l'Otan interviennent dans la guerre. Tout cela est très connu et bien documenté. Je ne suis pas le seul à le dire et à l'écrire. Des journalistes français, aussi, l'ont fait. Lisez le bouquin de Jaques Merlino *Les vérités yougoslaves ne sont pas toutes bonnes à dire*[5]. Il y a eu des centaines de petits Srebrenica, peut-être des milliers, de part et d'autre. Alors qu'on arrête de plaindre uniquement ces pauvres petits Croates. Les Serbes ont souffert davantage.

N'empêche qu'avec 6 000 à 8 000 victimes, Srebrenica est un crime de masse d'une dimension supérieure à tous les autres. Je ne vois pas l'intérêt de minimiser ce massacre...

Je vous redis simplement que c'était une guerre civile, inter-ethnique et sanglante. C'est tout ce que l'on peut en dire. À mon avis, l'Allemagne a commis un crime politique en reconnaissant unilatéralement la Croatie le 15 novembre 1991, bientôt imitée, le

5. Jaques Merlino, *Les vérités yougoslaves ne sont pas toutes bonnes à dire,* Albin Michel, 1993.

15 janvier suivant, par l'Europe. Derrière tout ça, l'objectif était clair : dynamiter la plus grande nation des Balkans – 12 millions d'habitants – et se débarrasser d'un État socialiste. Cela a très bien marché. Et aujourd'hui, regardez comment agit l'Occident ! Elle se débarrasse des derniers petits États socialistes au Moyen-Orient. L'Irak était un État socialiste. La Libye était un État socialiste. La Syrie, avec son parti Baas, est le dernier État socialiste de la région.

Je vous propose une autre définition de la Libye de Mouammar Khadafi et de la Syrie de Bachar el-Assad : ces États sont des ploutocraties totalitaires où une élite de privilégiés accapare tout et opprime le peuple. Ce qui est assez éloigné de l'esprit du socialisme.

Mon analyse historique est la suivante : on se débarrasse des pays socialistes mais pas des monarchies et des émirs pourris du Qatar ou des Émirats arabes unis.

L'Europe est intervenue en Libye au nom des droits de l'homme.

Les droits de l'homme sont un prétexte vieux comme les Croisades, utilisé pour justifier l'impérialisme de l'Occident.

Dans *Limonov*, Emmanuel Carrère raconte qu'en Yougoslavie vous vous promeniez avec un pistolet à la ceinture. C'est vrai ?

Oui, on m'a donné un pistolet en récompense de ma valeur et de mes faits d'armes. C'était un pistolet fabriqué dans l'usine Étoile rouge de Belgrade. C'est la plus belle distinction que j'ai reçue, car elle témoigne du respect de mes pairs pour mon courage. C'est cent fois supérieur à un prix littéraire.

L'avez-vous utilisé au combat ?

Vous ne savez pas de quoi vous parlez ! Le pistolet, c'est une arme de petite portée. Ça peut être utile sur une trentaine de mètres, ou plutôt dix mètres. On ne fait pas la guerre avec un pistolet. C'est une arme de policier, une arme pour se défendre à bout portant.

Seriez-vous capable de tuer quelqu'un ?

Votre question est puérile. *No comment*. Vous-même, vous êtes capable de tuer. En prison, j'ai senti que j'aurais été capable de tuer pas mal de personnes qui se trouvaient là. Tout le monde est capable de tuer. Et si vous n'avez pas l'instinct de le faire dans une situation de danger, alors vous n'êtes pas un homme.

Une autre question sur les armes...

Passons à autre chose. Toutes ces conneries ne m'intéressent pas.

Juste une chose qui me concerne. Lorsque j'ai porté une arme, durant mon service militaire, à Berlin-Ouest, au sein des Forces françaises en Allemagne, j'ai vraiment eu l'impression de descendre moralement...

Parce que vous êtes un Européen affaibli et pourri. Voilà la réponse à votre question. Si vous habitiez dans un pays sans loi comme l'est la Russie ou comme l'était la Serbie en temps de guerre, vous ne diriez pas ça. Lorsque les autres sont armés jusqu'aux dents, il faut se défendre. Dans un conflit, il faut sauver sa peau. Pour cela, une arme est nécessaire.

À l'époque de vos allers-retours entre Paris et Belgrade, votre collaboration avec *L'Idiot international* n'a pas cessé. Paradoxalement, c'est à Paris que vos ennuis ont vraiment commencé. Le journal dirigé par Jean-Édern Hallier est alors tombé sous les feux des critiques.

En juin 1993, quelques fins limiers ont cru déceler un complot « rouge-brun » rassemblant intellectuels ou écrivains d'extrême droite et d'extrême gauche dans les colonnes de *L'Idiot international*. Initiée par le journal socialiste *Le Pli*[6], la campagne contre *L'Idiot* a ensuite été relayée par l'auteur de romans

---

6. Lettre confidentielle de Pierre Joxe.

noirs Didier Daeninckx et Bernard-Henri Lévy ainsi que par *Libération, Le Monde, Le Canard enchaîné, Le Figaro.* Une attaque aussi massive était inédite. Pour Jean-Édern, ce fut Stalingrad. Sous prétexte que certains de mes articles étaient publiés dans *L'Humanité*[7] et d'autres dans *Le Choc du mois*[8] et sous prétexte que je venais de déposer, à Moscou, les statuts de ma future formation politique, le parti national-bolchevik[9], certains ont accusé *L'Idiot international* d'être à l'origine de la création d'un axe stalino-fasciste en France. Une connerie absolue doublée d'une erreur historique : le seul national-bolchevik de *L'Idiot*, c'était moi. Cette campagne merdeuse fut, pour Jean-Édern et son journal, une véritable mise à mort.

C'est dommage car, avec *L'Idiot* naissait une nouvelle pensée contestataire. Je me souviens d'une soirée organisée par *L'Idiot* à la Mutualité qui a réuni environ 800 personnes, peut-être davantage. Un vieil employé de la Mutualité m'a dit qu'il n'avait jamais vu autant de monde et d'énergie depuis mai 1968. La foule réunie ce soir-là était un curieux mélange de gens de droite et de gauche, avec des vieux soixante-huitards, des jeunes enthousiastes, des ouvriers. L'ambiance était électrique. Il était évident que les gens réclamaient quelque chose de

---

7. Journal communiste.
8. Journal proche de l'extrême droite.
9. PNB.

neuf, comme la création d'un parti politique alternatif qui balaierait les anciens schémas droite-gauche.

La rumeur disait que, influencé par la campagne de presse qui assimilait *L'Idiot international* à un journal d'extrême droite, le mouvement radical juif Betar était là pour en découdre. Personnellement, je n'ai pas vu les gens du Betar. Mais ce qui est certain, en tout cas, c'est que la plupart des écrivains de *L'Idiot* étaient absents. Je crois qu'ils s'étaient défilés, tout comme le chanteur Renaud, également collaborateur du journal. Jean-Édern était mort de trouille. Il pensait qu'on allait lui casser la gueule. Je lui ai dit : « Mais regardez cette foule énorme qui vous soutient : qui oserait ? » Alors, il a tourné cette réunion en farce, en meeting d'opérette. À la fin, il est parti immédiatement sur la moto d'Omar, son ami majordome et garde du corps très impliqué dans le journal. Tout le monde était très, très mécontent. Je me souviens parfaitement de cette soirée, l'ambiance qui y planait, et toutes les espérances du public, parties en fumée…

Moscou
1993-2012

« Je ne suis pas un fasciste mais un Russe qui lutte pour les libertés. »

Après la « Yougo », Limonov, définitivement tricard à Paris, rentre au pays natal, où Boris Eltsine est installé au Kremlin. De journaliste, il devient conseiller puis activiste politique et, enfin, fondateur de son propre parti, le parti national-bolchevik, qui puise son inspiration à l'extrême gauche et à l'extrême droite. Limonov continue de publier des romans, des essais et des recueils de poésie. Au tournant du XXIe siècle, il se marie et, sexagénaire, devient papa à deux reprises. Puis il divorce d'avec Katia. Entre-temps, il effectue un séjour de deux ans et demi en prison.

Votre engagement dans la vie politique russe, au début des années 1990, est concomitant avec l'épisode yougoslave.

Tout en vivant encore à Paris à temps partiel, j'avais commencé à publier des articles dans la presse russe. Mon objectif : expliquer à mes compatriotes que les choix de Gorbatchev et d'Eltsine étaient mauvais, et qu'il convenait à la Russie d'emprunter un autre chemin. D'abord, j'écrivais pour *Izvestia*[1] qui tirait à 17 millions d'exemplaires. Avec un tel tirage, on devient immédiatement populaire, sans compter qu'au même moment mes livres étaient pour la première fois publiés dans mon pays natal. Mais ce journal est devenu une sorte de porte-parole du président Boris Eltsine. Alors, j'ai commencé à écrire dans les colonnes de *Sovietska Rossia*[2] dont le tirage s'élevait « seulement » à 13 millions. Puis, j'ai compris que le journalisme d'opinion ne suffirait pas à arrêter le processus de pourrissement du pays. Alors j'ai décidé de quitter Paris définitivement pour me lancer en politique à Moscou et agir sur le cours des choses.

Pour commencer, vous avez rallié l'ultra nationaliste Vladimir Jirinovski, qui prônait l'expansionnisme militaire, le retour à un État fort, une politique de répression intensive contre les délinquants. Vaste programme...

---

1. Les Nouvelles.
2. Russie Soviétique.

À l'époque, Jirinovski était intéressant. C'était un politicien moderne, différent de tous les autres, qui arborent tous des costumes gris. Lui, parlait le langage courant, celui de la rue, avec des images simples. À l'été 1992, j'ai accepté de faire partie de son « *shadow* cabinet », son cabinet de l'ombre. L'une de mes premières missions a consisté à organiser une entrevue avec Le Pen, qu'il voulait rencontrer[3]. J'ai organisé son voyage à Paris, avec une conférence de presse dans un hôtel du quartier latin fréquenté par les gens de Flammarion.

En France, Jirinovski était encore inconnu. Mais un an plus tard, aux législatives de 1993, il a obtenu 23 % des suffrages. Et il est devenu internationalement célèbre. La même année, je l'ai quitté car c'est un menteur et un manipulateur. À mon avis, aujourd'hui, le président du parti libéral-démocrate de Russie[4] a trahi tous ses idéaux. Il sert le Kremlin en se laissant manipuler par ce dernier. Jirinovski est un politicien pourri et un minable.

Comment s'est déroulée la rencontre avec le leader du Front national ?

Le Pen nous a offert un dîner mémorable dans sa propriété du parc de Montretout, à Saint-Cloud, d'où l'on voit tout Paris. Avec Le Pen, Jirinovski et

---

3. Devenus amis, Le Pen et Jirinovski se sont souvent rencontrés depuis.
4. C'est le nom, trompeur, de la formation de Jirinovski.

moi-même, nous formions une belle brochette de « *bad boys* ». Sur les murs de la villa de Montretout, une chose m'a frappé : j'y ai reconnu des tableaux de l'artiste russe Ilya Glazounov[5]. Le Pen était étonné que je connaisse cet artiste. Il m'a expliqué qu'ils étaient amis depuis les années 1960.

Cela ne vous dérange pas de fréquenter des gens qui flirtent avec l'antisémitisme ?

Il n'existe aucune preuve de ce que vous avancez. Je préfère toujours forger mon opinion à partir d'observations personnelles plutôt que sur la base d'avis extérieurs ou d'articles de presse. Si je me fie à ma méthode de compréhension des hommes au premier regard exposée plus haut, il est clair que Jean-Marie Le Pen est beaucoup plus sympathique que, par exemple, Vladimir Poutine ou Dmitri Medvedev. Il est aussi plus honnête. En fait, Le Pen est sans doute l'homme politique français dont l'honnêteté intellectuelle est la plus incontestable.

J'ai apprécié, chez lui, un côté humain, affable. Il a une manière aimable de recevoir ses invités, sans façons, et en leur faisant sentir qu'ils sont des personnages plus importants que lui-même. Certes, il vit comme un bon bourgeois. Mais il est un peu baroudeur, et un peu voyou, ce qui en fait un type

---

5. Ilya Glazounov était lui aussi monarchiste.

intéressant. Par son talent oratoire et son tempéra-
ment impétueux, il m'a fait penser à Danton.

Le Pen, « sympathique » ? Vous allez encore vous faire des amis en France...

De moi aussi la moitié des gens disent que je suis
antipathique et infréquentable. Mais c'est faux.
Voilà peu, mon nouvel agent littéraire François
Samuelson buvait une vodka chez moi et l'a dit :
« Mais pourquoi Emmanuel Carrère a-t-il écrit que
tu étais distant ? Tu n'es pas distant. » Je suis certes
un peu froid au premier contact. Mais ensuite, je
m'ouvre, je me livre. Carrère a projeté sur moi
ce qu'il est : il est beaucoup plus froid, distant,
réservé que moi. Le vrai problème avec moi, c'est
que j'ouvre ma grande gueule. Une attitude insup-
portable pour la France qui est le royaume du
« *political correctness* ».

La France est « politiquement correcte » ?

Exactement. Il y a chez vous des régions entières de
la pensée, des territoires intellectuels, des pans de
la mémoire collective qu'il est interdit d'explorer. Je
ne veux pas entrer dans les détails. Mais le résultat,
c'est qu'en France, les idées se tarissent et la pensée
est unique. Ce n'est pas un hasard s'il n'y a plus
de grands maîtres à penser, ni de grands écrivains
depuis trois bonnes décennies, en France.

Dans certains cas, le « politiquement correct » n'est-il pas souhaitable, notamment pour empêcher l'expression du racisme assumé ? Certaines pensées sont, en effet, indicibles.

Je ne suis pas d'accord. En France comme en Allemagne, il est interdit d'exprimer l'idée que l'immigration de masse en provenance des pays musulmans pose des problèmes. Le « politiquement correct » l'interdit. Pourtant, c'est la réalité. Comment traiter cette question si elle n'est pas énoncée ?

Après votre période « jirinovskienne », vous créez votre propre parti qui, en effet, n'a rien de politiquement correct. Son nom : le parti national-bolchevik. Son organe : le journal *Limonka*, qui signifie « grenade ». Pouvez-vous définir l'idéologie de ce parti ?

Vous m'emmerdez avec vos questions ennuyeuses. Un tas de choses ont déjà été écrites là-dessus. Mais puisque vous êtes là et que vous insistez, je vais résumer. Nous avons pris le parti de choquer, de provoquer dans le but d'attirer vers nous des militants. La Russie était une page blanche : la vie politique était inexistante. Il fallait être créatif et oser des expériences nouvelles. Nous avons privilégié le radicalisme, avec un mélange d'idées d'extrême gauche et d'extrême droite. Pour moi, « extrémisme » n'est pas péjoratif.

Mais, attention, notre extrémisme ne véhiculait absolument aucune idée raciste. C'était un extrémisme culturel, artistique. Nous étions audacieux et prenions des risques. Les écrits de *Limonka* correspondent à l'enfance du parti national-bolchevik. Et l'enfance, c'est toujours l'extrémité, l'exagération, comme en témoignent nos slogans. Deux exemples : « Mangez les riches ! » et « Le capitalisme, c'est la merde ! ».

Nous ne voulions pas être un parti centriste, stupide, un parti de vieux. On a commencé par une sorte de nihilisme. En ce sens, nous imitions un peu *L'Idiot international*. Parmi la jeunesse russe, le journal *Limonka* – qui avait le même grand format que *L'Idiot* – a rencontré un succès considérable.

Inscrire au programme du PNB l'obligation pour toutes les femmes russes d'avoir au moins quatre enfants avant l'âge de 35 ans afin de combattre la dénatalité, c'est de l'art ou du fascisme ?

De l'art. Ces exagérations faisaient marrer tout le monde. Nous prônions aussi la polygamie. Les gens trouvaient ça formidable, surtout les jeunes de moins de 35 ans. *Limonka* était connu dans toute la Russie, pourtant très vaste ! En avril 1998, Alexandre Douguine, cofondateur du parti, s'est séparé de nous, ce qui a un peu changé la donne. Douguine incarnait l'aile droite du parti tandis que, moi, j'étais plutôt l'homme de gauche. Après son départ, le parti est devenu de plus en plus rouge et socialiste. En octobre, le premier congrès du parti national-bolchevik a été organisé, avec des représentants venus, pour plus de la moitié d'entre eux, des cinquante et une régions de Russie. Après, nous avons rempli les formalités juridiques nécessaires à notre enregistrement auprès du ministère de la Justice afin d'avoir une existence légale qui nous permette de participer aux élections.

Dès lors, l'État nous a mis des bâtons dans les roues. Auparavant, personne ne prêtait attention à nous, hormis des journalistes libéraux hostiles qui nous utilisaient comme épouvantails et nous décrivaient comme des fous extrémistes. Ayant compris que notre organisation s'était structurée, l'État a commencé à réprimer nos meetings et persécuter nos militants. À partir de 1999, les arrestations et les emprisonnements se sont multipliés.

Mais nos actions débordaient du seul territoire de la Russie. Cette année-là, nous avons, par exemple, mené une action à Sébastopol, en Crimée (Ukraine), à l'occasion de l'anniversaire de l'indépendance ukrainienne. Nos militants ont investi la Maison de matelots, dans le centre-ville, en criant « Sébastopol est russe ! ». Après quoi, ils ont été délogés par les forces spéciales. Une quinzaine d'entre eux a été arrêtée. Après sept mois de détention préventive en Ukraine, ils ont été transférés à Moscou. Là, je les ai accueillis devant la porte de la prison. Le directeur de la prison qui, lui non plus, n'avait pas digéré l'indépendance ukrainienne, est sorti pour me serrer la main. J'ai vu un reportage à la télé, où une femme officier de police disait : « Mon fils est encore petit, mais s'il était grand je lui montrerais les gens du parti national-bolchevik en exemple car ce sont des patriotes courageux. » Cela démontre que notre discours et nos actions avaient une vraie résonance dans la population.

Quel autre genre d'actions entrepreniez-vous ?

Nous pratiquions une forme de terrorisme de velours par l'action directe. Un jour, nos militants ont, par exemple, attaqué à la mayonnaise le chef de la commission électorale. Ce con en avait plein son costume. Et, derrière lui, sur la scène où se passait ce happening, Vladimir Jirinovski[6] et Guennadi Ziouganov[7], également présents, avaient l'air débile. Pavel Daniline, l'auteur d'un livre favorable au Kremlin, a recensé toutes les actions menées par les « natsbols[8] » de 2003 à 2005 : plus de 870 actions à Moscou, Saint-Pétersbourg, Kaliningrad, Nijni-Novgorod, Iekaterinbourg, Krasnoïarsk, etc.

Qu'estimez-vous avoir atteint avec le PNB ?

Avant l'interdiction du PNB en 2007, nous avons réussi à être perçus comme le seul parti politique qui défend les droits et les intérêts du peuple. En 2004, nous avons été à la pointe de la lutte contre ce qui s'est appelé la « monétisation des privilèges ». Le gouvernement a

---

6. Chef du parti libéral-démocrate (ultranationaliste).
7. Chef du parti communiste.
8. Nationaux-bolcheviks.

alors supprimé la gratuité dans les transports publics pour des millions de Russes – enfants, retraités, handicapés, fonctionnaires, policiers, etc. – en la remplaçant par une allocation mensuelle de 250 roubles, ce qui est incomparablement moins avantageux. Le peuple était fou de rage, au bord de la mutinerie.

Nous avons envahi le ministère des Affaires sociales dont le ministre, Mikhaïl Zurabov, était le plus détesté du pays. Nous avons balancé toutes leurs paperasses par les fenêtres ainsi que les portraits officiels de Poutine ! Des photographes de l'AFP ont immortalisé cette scène formidable. Une trentaine de militants a été arrêtée. Sept d'entre eux ont été condamnés à cinq ans de prison, ce qui est extrêmement lourd. La même année, nous avons envahi les bureaux du service d'accueil au public de l'administration présidentielle, et accroché aux fenêtres des banderoles « Poutine, dehors ! ». Quarante militants ont été arrêtés. Seul un garçon de 15 ans a été relâché. Tous les autres, trente-neuf, ont été jugés dans un procès public. Le pays tout entier a pu voir comment on traite les prévenus dans les prétoires : ils étaient enfermés dans trois cages comme des lions. Ce procès, c'était vraiment notre jour de gloire. Les médias qui, à l'époque, n'étaient pas encore tous sous la coupe du Kremlin, étaient présents. La célèbre journaliste Anna Politkovskaïa[9] a couvert l'intégralité du procès, pendant sept mois.

---

9. Connue pour ses critiques virulentes contre Vladimir Poutine et la guerre en Tchétchénie, Anna Politkovskaïa a été assassinée au pied de son immeuble, à Moscou, en 2006.

Elle a pris parti pour nous, en écrivant dans les colonnes de *Novaïa Gazeta* : « Tout le monde critique les *natsbols* de Limonov mais il faut prendre conscience qu'ils luttent pour nos libertés. » Son soutien fut déterminant car l'intelligentsia la respectait. Après ses articles, le regard porté sur nous par les autres journalistes et l'ensemble de la société a évolué favorablement. Trois ans plus tard, en 2007, le PNB a été interdit sous des prétextes fallacieux.

Certains vous reprochent d'avoir envoyé au casse-pipe des jeunes, dont neuf sont toujours actuellement derrière les barreaux...

Les gens qui disent des telles conneries sont des crétins. Nos militants sont des adultes dotés de conscience politique et responsables de leurs actes. Ce qui est grave, c'est de ne pas lutter contre le néotsarisme poutinien et son système judiciaire moyenâgeux.

Est-ce dans le but de ressembler à Trotsky que vous portez une barbichette ?

Qui est le con qui a avancé cette idée ? C'est sûrement un connard de l'Internet qui n'a rien d'autre à faire que de comparer son cul avec celui du voisin. Ils sont détestables, ces gens-là... N'importe quelle personne avec des lunettes et une barbe est susceptible de ressembler à Trotsky, Don Quichotte ou à Jésus-Christ, mais sans lunettes. Tant de stupidité me dégoûte.

Pourquoi avoir choisi, pour votre parti politique, un emblème[10] qui utilise le code couleur du parti nazi et rappelle, de manière évidente, le drapeau du Troisième Reich ?

En 1992, un graphiste avait habillé la quatrième de couverture d'un de mes recueils d'articles avec ce logotype. C'est l'idée de l'éditeur qui a choisi ce design, pas la mienne.

Mais pourquoi l'avoir accepté ? Vous aviez votre mot à dire ! Or tout le monde voit au premier coup d'œil qu'il s'agit du drapeau nazi dont la croix gammée a été remplacée par le symbole communiste !

Mais c'est chez vous que l'on voit ça. Ici, en Russie, les gens ne font pas cette association d'idées, tout simplement parce que nous avons grandi avec la télévision en noir et blanc. Mais en Occident, vous êtes vieux, archaïques et vous allez tous mourir, au sens intellectuel du mot. À force de ressasser le passé, vos cerveaux sont encombrés d'interdits. Et vous allez faire du surplace pendant des siècles. Les intellectuels français sont manichéens. Hantés par le passé, ils sont enfermés dans des dogmes.

Mais merde ! C'est la France qui était un pays fasciste, pas la Russie. C'est vous, pas nous ! La

---

10. Il s'agit d'un cercle blanc sur fond rouge, frappé de la faucille et du marteau.

Hongrie, la Roumanie, le Portugal, l'Espagne, l'Italie étaient fascistes ! Toute l'Europe était fasciste tandis, que nous, les Russes, nous avons vaincu le fascisme allemand. C'est le monde à l'envers : en Allemagne, certains libraires n'ont pas diffusé mes livres au prétexte que j'aurais une réputation de nazi. Et ces critiques proviennent du pays d'Hugo Boss, l'homme qui confectionnait les uniformes militaires du Troisième Reich ! Mais allez-vous faire foutre, merde, bon dieu ! C'est vous les fascistes, pas nous ! Nous, les Russes, nous avons vaincu les nazis car nous sommes des gens courageux, à l'image de mon oncle qui a péri sur le front, en Pologne, près d'Auschwitz. Nous avons donc toute liberté pour dire ce que nous voulons et utiliser n'importe quels symboles, y compris s'ils vous défrisent. Arrêtez avec vos attaques contre Limonov, une fois pour toutes ! Je ne suis pas un fasciste mais un Russe qui lutte pour les libertés.

L'héroïsme est-il, pour vous, une valeur importante ?

Je ne suis pas le seul à être sensible à l'héroïsme : l'humanité entière s'intéresse aux héros. Les livres les plus vendus sont des biographies de grands hommes. Et ces ventes augmentent constamment. Il n'y a pas de raison de respecter les faiblesses, les lâchetés, les trahisons. Même à l'époque d'Internet, les valeurs fondamentales n'ont pas changé.

Certains êtres se distinguent du reste de l'humanité par leur héroïsme et leur courage. Mais il faut distinguer le courage physique du courage intellectuel. Il est rare de rencontrer des personnes qui, comme moi, réunissent les deux. Moi, j'ai eu le courage de regarder la guerre dans les yeux *et* de défendre publiquement les Serbes alors que la totalité des Européens se liguaient contre eux.

Depuis quand vivez-vous sous la protection de gardes du corps ?

Depuis que, le 18 septembre 1996, j'ai été la victime d'un guet-apens à la sortie du siège du PNB. Ce soir-là, j'étais pressé de rentrer chez moi. Et contrairement à mes habitudes – en général j'étais systématiquement accompagné –, j'ai traversé la cour de l'immeuble, seul. Des hommes m'ont assailli par-derrière et salement battu à coups de pieds. Ma vue est, depuis, abîmée. Chaque matin, au reveil, la première chose que je vois, ce sont des tâches. Après l'agression, le parti m'a obligé à accepter la protection de gardes du corps.

Qui vous a attaqué ?

Les policiers ont enquêté, mais en vain. Certains les ont d'ailleurs soupçonnés d'être dans le coup. Je ne crois pas à cette thèse. À l'époque, la police était régulo vis-à-vis de moi. Je pense plutôt que mes agresseurs étaient des hommes du général Lebed[11], qui faisait alors l'objet de virulentes critiques dans les colonnes de *Limonka*. C'est l'hypothèse la plus plausible. Mais je n'ai aucune preuve.

En 2001, vous êtes arrêté au moment de votre participation à une sombre affaire d'expédition « façon Bob Denard » alors que, selon la justice, vous projetiez de renverser le gouvernement du Kazakhstan. Qu'est-ce que c'est que cette salade ?

Je ne peux rien vous déclarer à ce sujet.

Quoi qu'il en soit, vous êtes condamné à quatre ans de prison, avant d'être libéré en 2003 après deux ans et demi de détention. Comment l'expérience de la prison vous a-t-elle transformé ?

Je n'ai pas vraiment changé. Mais j'ai reçu la confirmation de moi-même et de ma vision du monde. J'ai toujours vécu ma vie dans plusieurs dimensions. En prison, la dimension mystique est devenue prépondérante. C'était une expérience de vie monacale, avec une discipline à respecter, des

---

11. Candidat à la présidentielle de 1996, le général Lebed, très populaire, s'est rallié à Boris Eltsine entre les deux tours. Il a joué un rôle déterminant dans les négociations qui ont mis fin à la première guerre de Tchétchénie, en 1996. Il est mort à 52 ans, en 2002, dans un mystérieux accident d'hélicoptère.

jeûnes obligatoires, l'interdiction de parler, la réclusion en cellule.

C'est un plaisir étrange que celui de la privation. Mais cela me plaisait. C'était bien. J'ai vécu dans un monde métaphysique. La vie des moines s'apparente à une forme d'extase : je comprends très bien. J'ai écrit trois livres sur les prisons. Le troisième s'appelle *Le triomphe de la métaphysique*.

Les salauds, les criminels, la police, tout cela est bel et bien présent derrière les barreaux. Mais, en même temps, il y a une dimension supérieure, un monde au-delà, un monde métaphysique qui existe.

Avez-vous rencontré beaucoup de salauds en prison ?

Pas plus qu'ailleurs. Vous savez, un assassin n'est parfois assassin que pendant trois minutes. En dehors de cette parenthèse, il vit, il existe, et il n'est pas nécessairement mauvais. On devient parfois assassin par hasard…

Cela dit, la perception de la vie en prison varie selon les individus. Un militant de mon parti, après trois ans de détention, m'a dit que les prisonniers n'étaient pas du tout comme je les décrivais dans mes livres. Lui n'avait vu que des salauds. J'ai regardé ce type avec une certaine tristesse parce qu'il était en souffrance. Si vous n'avez pas l'esprit mystique ni accès au monde métaphysique, vous êtes destiné à souffrir, et à ne pas supporter les misères de la vie carcérale : les bagarres, les humiliations, tout cela.

Après mon arrestation, j'ai été jeté à la prison de Lefortovo, à Moscou, où j'étais emprisonné avec des « ennemis de l'État », autrement dit : la crème de la crème, des gens condamnés pour trahison, espionnage ou rébellion armée à l'image de dizaines de mes codétenus tchétchènes.

Moi, j'étais respecté. À la prison de Saratov[12], je suis resté en compagnie de criminels endurcis, de caïds, de tueurs. La cohabitation avec cette population-là est préférable à la compagnie de petits délinquants et des voyous, car ce sont des gens sérieux, intelligents, structurés.

Enfin j'ai passé un certain temps à Engels, un camp de travail où l'on envoie les détenus, pour une période donnée, après leur condamnation.

Même avec une vie intérieure riche et intense, il doit tout de même y avoir des moments difficiles...

Les privations physiques, on peut le supporter. Les tabassages, je n'en ai jamais été victime. Le plus éprouvant, finalement, c'étaient les transferts au

---

12. Saratov se trouve à 725 kilomètres au sud-est de Moscou, sur la Volga.

tribunal pendant mon procès. La journée commence par un réveil à 5 heures du matin. Puis il faut se déshabiller pour la fouille au corps. Et cette procédure de déshabillage-rhabillage-examen du trou de balle se répète cinq fois dans la journée. Ce qui n'est pas vraiment nécessaire.

À Engels, les gardiens étaient pour la plupart des Kazakhs. Je ne suis pas raciste, quand tu vois leur gueule, tu n'es pas rassuré. Les gardiens russes, eux, sont plus je-m'en-foutistes et paresseux : ils ne veulent pas se fatiguer à regarder ton cul. Les Kazakhs, eux, exécutent les instructions à la lettre.

Après votre libération anticipée en 2003 et après l'interdiction du parti national-bolchevik en 2007, on vous retrouve au sein de la coalition d'opposition civile russe l'Autre Russie. C'est un assemblage hétéroclite qui réunit les représentants de différentes mouvances politiques ainsi que des représentants de défense des droits de l'homme. Soudain, vous voilà associé avec l'ancien champion d'échec Garry Kasparov. Étonnant attelage !

J'étais allié avec les leaders de différents partis bourgeois : ceux de l'ancien Premier ministre russe Mikhaïl Kassianov, de l'ex-vice-Premier ministre Boris Nemtsov, de l'ancien champion d'échecs

Garry Kasparov… Mais tous ces gens manquent de cran. Ils se contentent de lancer des slogans sur Internet. Moi, j'ai toujours proposé de manifester en masse contre l'absolutisme de Poutine, au risque d'être arrêté et envoyé en prison. C'est la seule chose à faire dans une dictature. Seule la rue peut changer le cours de l'Histoire. Regardez l'Égypte. La population s'est tue pendant trois décennies, puis, un beau jour, elle a fait tomber Moubarak.

Le problème, c'est que mes collègues avaient la trouille. Après sa première arrestation, Kasparov a jeté l'éponge. Aujourd'hui, il ne fait plus de politique. Moi, je suis arrêté et emprisonné tout le temps. Je ne compte même plus mes séjours sous les verrous. Mais je n'ai ni peur d'être arrêté ni de mourir. Dans un régime qui fonctionne sur l'intimidation et la peur, le pouvoir ne peut rien contre celui qui s'est débarrassé de sa peur. Je n'ai pas peur d'être tué, donc je suis invincible.

Actuellement, vous dirigez Stratégie-31, un mouvement antisystème qui se réunit tous les 31 sur la place Triumfalnaya, à Moscou, pour réclamer le droit à la liberté de réunion garanti par l'article 31 de la Constitution. À quoi ça sert ?

À donner l'exemple. Bien avant que les Moscovites se réveillent enfin au moment des élections législatives truquées de décembre 2011, mes gars et moi descendions tous les 31 dans la rue. Nous étions quelques centaines seulement. Et je finissais systématiquement en garde à vue. Je suis certain que notre exemple a montré la voie aux manifestants anti-Poutine qui, enfin, se sont résolus à protester dans la rue. Pour la jeune génération, qui me regarde agir, je suis probablement un maître à penser.

J'en conclus que les manifestations pacifiques consécutives aux législatives – entachées de fraude – du 4 décembre 2011 ont dû vous ravir.

Cela fait dix-huit ans que je m'active dans la vie politique et trois ans que mes copains et moi donnons l'exemple de ce que, en effet, il faut faire : descendre dans la rue. Hélas, le 10 décembre 2011, date de l'énorme manifestation post-électorale[13] restera dans l'histoire comme une journée tragique, voire comme une journée de trahison. Ce jour-là, les manifestants avaient la possibilité de faire basculer les événements. Massés à quelques centaines de mètres de la commission électorale, en plein centre-ville, il ne leur restait plus qu'à s'en approcher afin de bloquer ce lieu, symbole de la fraude électorale. Ensuite, il suffisait de stationner là, sur la place de la Révolution, comme le firent à Kiev, en Ukraine, les manifestants

---

13. Pour la première fois depuis vingt ans, une foule de 50 000 à 80 000 Moscovites manifestait contre le pouvoir.

de la « révolution orange » en novembre 2004 sur la place de l'Indépendance ou ceux de la place Tahrir, au Caire, en Égypte, début 2011. Acculé, le pouvoir poutinien aurait été contraint de faire des concessions, voire – qui sait ? – de démissionner. Au lieu de cela, les leaders bourgeois ont donné l'ordre à leur troupe de reculer jusqu'au quai Bolotnaya, qui se trouve sur l'île baignée par la Moskova. Prenez un plan de Moscou et vous verrez que les leaders n'ont aucun sens de la tactique militaire ni des rapports de force politiques. Comment peut-on aller s'enfermer sur une île ? C'est soit de la stupidité, soit une trahison qui s'explique par un pacte secret entre le pouvoir et les leaders des manifs.

Avec mes gars, nous n'avons pas bougé de notre position initiale. Nous sommes bien les seuls. Nous avons exhorté les manifestants à nous imiter. Mais ceux-ci ont préféré suivre dans l'erreur les leaders de l'opposition bourgeoise. J'avoue : en mesurant les limites de mon influence, j'ai vécu cette foutue journée du 10 décembre 2011 comme une défaite personnelle. Malgré tout, avoir perdu une bataille ne signifie pas que la guerre contre Poutine est finie.

Poutine
& Limonov

« Poutine est un dictateur
du XXIᵉ siècle, il règne par
le mensonge total. »

Après les bourgeois, les Croates ou les intellectuels
parisiens, Edouard Limonov s'est trouvé un nouvel ennemi en la personne de Vladimir Poutine, le
« néotsar » dont les jours sont, selon lui, comptés.

Jusqu'à présent, toute la vie politique russe du XXIᵉ siècle a été dominée par Vladimir Poutine. En dépit de l'aversion qu'il vous inspire, admettez-vous que le maître du Kremlin est un politicien habile ?

Poutine n'est pas un politicien, c'est un administrateur. Il l'a toujours été. Lorsque, dans les années 1980, il était un petit colonel du KGB en poste à Dresde, en Allemagne de l'Est, il ne faisait pas le travail d'un officier mais celui d'un bureaucrate qui chaque jour doit chercher la meilleure manière de tuer le temps. Et pour cause : la Stasi[1] était tellement efficace qu'elle n'avait nul besoin des gens du KGB. Après, Poutine a travaillé comme fonctionnaire auprès d'Anatoli Sobtchak, le maire de Leningrad – rebaptisée Saint-Pétersbourg en 1991, sous son mandat.

En réalité, la carrière de Poutine n'est pas celle d'un politicien qui a dû conquérir sa place au sein d'un parti et se débattre dans des luttes internes. Il n'a jamais eu à subir la moindre compétition. Il est entré en politique par une porte dérobée, comme un pistonné, lorsque Boris Eltsine, croulant, l'a désigné comme successeur. Lors de ses deux premiers mandats[2], Poutine s'est comporté comme un play-boy : paresseux et superficiel, il aimait jouir des attributs matériels du pouvoir. Souvenez-vous de la tragédie

1. La Stasi est la police secrète est-allemande.
2. 2000-2008.

du sous-marin *Koursk*, en 2000 : il n'a même pas eu le simple réflexe politique de quitter sa villégiature de Sotchi pour manifester sa solidarité et sa compassion avec les familles des victimes. Un vrai con.

Au pouvoir, comment a-t-il transformé la Russie ?

Il a instauré – surtout à partir de son second mandat, commencé en 2004 – une sorte de dictature. Il a multiplié les entraves à la démocratie, par exemple, en truquant les élections, en durcissant les lois sur la création des partis politiques, en contrôlant les médias audiovisuels, en manipulant la justice. Il a créé autour de lui un vide politique, tué tout débat et instauré un État policier où le pouvoir, comme en Chine, appartient à une petite caste. Par ailleurs, il n'a pas développé le pays : la recherche scientifique ne fait plus référence, l'agriculture est en ruine et le système éducatif s'écroule.

Pour les produits de première nécessité, la Russie dépend des importations. Dans nos supermarchés, les pommes de terre russes sont quasi introuvables. Nos patates proviennent de Hollande tandis que de nombreux fruits arrivent de Pologne. Nous sommes dans une situation de totale dépendance alimentaire. Stratégiquement parlant, c'est extrêmement dangereux. La Russie ne produit rien d'autre que du pétrole et du gaz. Mon pays n'est qu'un pipeline.

Vladimir Poutine est-il un dictateur ?

Oui, mais pas un dictateur du xxe siècle ; un dictateur du xxie siècle, ce qui est différent. Staline régnait par la violence et la terreur, Poutine, par le mensonge total. La télévision ment, la justice ment, notre personnel politique ment, les partis politiques autorisés sont bidons et les élections équivalent à un simulacre de démocratie. Il a construit un grand village Potemkine où rien n'est vrai. Sous Poutine, la répression n'atteint pas des sommets staliniens mais elle dépasse en violence l'époque de Brejnev. Aujourd'hui, les peines de prison sont plus lourdes. Le code pénal s'est durci. À l'époque soviétique, il était rare que les condamnations dépassent cinq ans ; aujourd'hui elles atteignent fréquemment vingt-cinq ans. Et regardez l'affaire Mikhaïl Khodorkovski[3].

Au terme de ses deux procès successifs, il a écopé de quatorze années de réclusion et ne sera libérable

---

3. Après avoir été la première fortune de Russie, Mikhaïl Khodorkovski a été arrêté en 2004 et purge actuellement une peine de quatorze années de prison aux termes de deux simulacres de procès entachées d'innombrables irrégularités. Sa condamnation repose sur des faits d'évasion fiscale, qu'il conteste. En réalité, le cas Khodorkovski symbolise la dérive autoritaire du « régime russe », et son procès est considéré comme un procès politique. Depuis mai 2011, Amnesty international considère Mikhaïl Khodorkovski et son co-accusé Platon Lebedev comme des prisonniers d'opinion. Dans un arrêt du 31 mai 2011, la Commission européenne des droits de l'homme critique les conditions de l'arrestation et de la détention préventive de Khodorkovski. Ce dernier est généralement considéré comme le « prisonnier personnel de Poutine », qui aurait pris ombrage de l'intelligence et des ambitions politiques de Khodorkovski.

qu'en 2017. Même si l'ex-oligarque n'est pas un saint, c'est totalement disproportionné. Et je vous ai déjà parlé de simples militants condamnés à cinq ans de prison pour trouble à l'ordre public : c'est fou.

À votre avis, où se situe aujourd'hui la Russie au niveau international ?

À la hauteur de la botte des États-Unis ! Regardez le comportement de Poutine, le 12 septembre 2001, au lendemain de la tragédie des attentats terroristes de Manhattan. Il pleurnichait, il était en larmes. C'est bien gentil d'exprimer son humanité. Mais qu'a-t-il fait ? Il a concédé à l'Amérique l'usufruit de nos bases militaires en Asie centrale, comme ça, sans contrepartie. En pratique, il a livré l'Asie centrale aux Américains.

Quoi qu'il en soit, la voix de la Russie, inaudible dans les années 1990, se fait de nouveau entendre dans le concert des nations.

Cela n'est qu'une illusion. Prenez la Libye, notre allié historique : la Russie a été incapable d'y empêcher les bombardements français et américains. Résultat, ce pays est devenu une terre sans loi – ce qui, soit dit en passant, n'est pas dans l'intérêt de la France. Il ne faut pas prêter attention à la « com » de Poutine ; il faut regarder comment il agit. Or partout, il réduit notre présence, de Cuba au Vietnam en passant par l'Afrique. Notre armée est vétuste, nos avions sont des vieux coucous. Nous ne faisons peur à personne. La Russie n'est pas respectée.

Vous faites erreur : Vladimir Poutine fait peur aux Occidentaux.

Quelle blague ! Les Occidentaux n'ont peur de personne. Les dirigeants européens sont des cannibales, toujours prêts à écraser le reste du monde. L'Europe a peur de Poutine ? Mais c'est l'Europe qui terrorise la planète depuis deux millénaires. Sur ce point, les musulmans ont raison. L'Europe est une force destructrice et ses dirigeants sont des cannibales.

Quant à la Russie, elle n'a jamais, jamais, jamais agressé l'Occident. Napoléon est venu chez nous, Hitler est venu chez nous : l'appétit cannibale des Européens n'est jamais rassasié. Lorsque je vois des « photos de famille » de conseils de ministres européens, je ne peux m'empêcher de penser à leur voracité de conquistadors. Elle se lit sur leurs visages affreux. On dirait des mecs qui ont bu de l'alcool pendant des générations entières, avec leur haleine pourrie ! Avec de tels visages, de tels yeux, on peut dévorer des enfants tous les jours. Regardez les Hollandais. Des sadiques… Toujours maigres, très agressifs… N'oubliez pas qu'ils étaient les plus nombreux dans les rangs des Waffen SS de Hitler… Maintenant, ils soutiennent toutes les aventures militaires des États-Unis et de la Grande-Bretagne… Des amateurs de destruction, je vous dis. Toujours prêts à prêter main-forte aux Américains.

Venant de la part d'un admirateur de l'impérialisme soviétique, la critique

contre l'impérialisme européen est un tantinet surprenante...

À ma connaissance, ce ne sont pas les Soviétiques qui ont colonisé les deux Amériques, l'Afrique, l'Inde et l'Indochine, ce sont les Européens...

Combien de temps, selon vous, Vladimir Poutine restera-t-il au pouvoir ?

Moralement, il est déjà perdu. Le pays ne veut plus de lui. En tout cas, la population active ne veut plus de lui. Les riches, les pauvres, l'intelligentsia et même les policiers et les militaires en ont assez. Il a beau détenir les leviers du pouvoir, il est usé. La détestation des gens est une chose invisible mais elle est là.

Pourtant, Poutine a de nouveau été élu le 4 mars. Même sans fraude, il l'aurait probablement été. Et depuis, les manifestations de l'hiver dernier ont cessé.

Il y a deux problèmes. D'un côté, Poutine est usé par le pouvoir et, en même temps, drogué au pouvoir. Bref, son pouvoir s'effrite. De l'autre, l'opposition est désorganisée. Cependant, le mécontentement populaire, déjà important, continue de croître. Les circonstances de la fin du règne de Poutine seront dramatiques.

Qu'est-ce que l'âme russe ?

L'âme russe, c'est moi ! Un mec qui prend des risques sans réfléchir aux conséquences. Le Russe se jette dans des situations où l'Européen n'irait pas. Il ne faut pas trop réfléchir. Ou alors, plus tard. Faute de quoi, on reste le cul sur sa chaise, incapable de construire son histoire. Il faut vivre tant que l'on est vivant.

C'est peu de dire que vous avez connu des expériences variées. Qu'aimeriez-vous faire que vous n'ayez encore expérimenté ?

Je fais de gros efforts pour gagner politiquement. Le désir de vaincre est mon moteur depuis toujours. Dans la phase actuelle, je ne travaille pas pour la mise en œuvre d'un programme. Avec les autres partis, je lutte pour qu'existent des élections libres et que la Russie se débarrasse de l'État policier. Si le régime de Poutine tombait, je serais satisfait car je sais tous les efforts que j'ai mis en œuvre pour atteindre cet objectif. Dans une seconde phase, je voudrais que mon parti, l'Autre Russie, participe aux élections afin de réaliser notre programme : le socialisme moderne.

Comment aimeriez-vous mourir ?

Il faut être assassiné. Voilà qui est digne. C'est mieux que de mourir d'une crise d'hémorroïdes.

Qu'aimeriez-vous qu'on dise de vous ? Comment aimeriez-vous être enterré ?

Cela m'est égal. Mais je veux que l'on s'intéresse à ma vie et à mon œuvre après ma mort. J'ai déjà prévenu mes copains du parti : pas d'embaumement. Et si quelqu'un s'avise de m'ériger une statue, allez la détruire au marteau-piqueur !

Que voulez-vous transmettre aux jeunes générations ?

L'idée qu'il demeure possible d'être un héros au XXIe siècle.

Avez-vous des regrets ?

Pas vraiment. Je n'ai pas commis de grandes erreurs. J'ai commis de petites erreurs. Par exemple, Je suis resté trop longtemps, treize ans, avec ma femme Natacha Medvedeva. J'aurais mieux fait de rester trois ans avec elle, puis de sortir avec cinq copines différentes en restant deux ans avec chacune. Cela aurait été beaucoup plus instructif et intéressant.

Maintenant qu'Emmanuel Carrère vous a, d'une certaine façon, réhabilité, que certains de vos livres sont réimprimés en France et que les journalistes français vous sollicitent, n'êtes-vous pas tenté de faire une virée à Paris afin de savourer votre victoire ?

L'un de mes plus grands plaisirs, je l'ai savouré à l'occasion de mon soixantième anniversaire, bien que je déteste ce genre de cérémonie. J'étais en prison tandis qu'à la Maison centrale des écrivains, à Moscou, était organisée une soirée en mon honneur, avec une exposition photos, des discours et des petits fours. La salle était pleine de gens. Moi j'étais en prison, et c'était beaucoup mieux comme ça. Si j'avais été présent, sur la scène, j'aurais eu l'air con, vulgaire et stupide. Aller à Paris ? Pour quoi faire ? Pour dire que je suis un type bon, que je ne suis pas si méchant… Aucun intérêt. À mon âge, j'ai d'autres plaisirs. Et ma vanité est depuis longtemps satisfaite. Il vaut beaucoup mieux que l'on parle de moi en mon absence.

À 69 ans, il serait peut-être temps d'envisager de prendre des vacances ?

Je n'en ai jamais pris. Je n'ai jamais voyagé avec l'idée de me reposer ou de visiter des endroits. Tous mes déplacements avaient un objectif professionnel : participer à un salon littéraire, tenir un meeting, faire la guerre. Voilà mon idée des vacances. Le tourisme est une occupation artificielle, inintéressante. Regarder une carte postale procure autant de plaisir.

Cependant, j'aurais aimé explorer l'Afrique au temps de Livingstone et Stanley. Ce n'était pas du tourisme, c'était une aventure trépidante, une lutte pour la vie. L'industrie du tourisme me dégoûte. J'étais ravi quand j'ai appris que des requins avaient dévoré des touristes allemands en Égypte !

Ouvrages d'Edouard Limonov publiés en France

Le poète russe préfère les grands nègres, Ramsay, 1980.

Journal d'un raté, Albin Michel, 1982.

Histoire de son serviteur, Ramsay, 1984.

Autoportrait d'un bandit dans son adolescence, Albin Michel, 1985.

Salade niçoise, Le Dilettante, 1986.

Oscar et les femmes, Ramsay, 1987.

Écrivain international, Le Dilettante, 1987.

Le Petit Salaud, Albin Michel, 1988.

Des incidents ordinaires, Ramsay, 1988.

La Grande Époque, Flammarion, 1989.

Cognac Napoléon, Ramsay, 1990.

Discours d'une grande gueule coiffée d'une casquette de prolo, Le Dilettante, 1991.

L'Étranger dans sa ville natale, Ramsay, 1991.

Le Grand Hospice occidental, Les Belles Lettres, 1993.

Mort des héros modernes, Éditions du Rocher, 1994.

Le dos de Madame Chatain, Le Dilettante, 1993.

La Sentinelle assassinée : journal dissonant, Éditions l'Âge d'Homme, 1995.

Mes prisons, Actes Sud, 2009.

L'excité dans le monde des fous tranquilles, chroniques 1989-1994 (parues dans *L'Idiot international)*, Bartillat, 2012.

éditions
EXPRESS ROULARTA

29, rue de Châteaudun
75308 Paris cedex 09

Directeur délégué
Sébastien Loison

Éditrice
Nathalie Riché

Secrétaire d'édition
Élodie Ther

Conception graphique et mise en page
Nord Compo

Fabrication
Catherine Pegon

Iconographie
Nicole Nogrette

Graphisme couverture
Philippe Marchand/OLO

Partenariats
Karine Welter

Relations presse
ASC
Sylvie Chabroux
sylvie@chabroux.com

Achevé d'imprimer en mai 2012
par l'Imprimerie Darantiere
Dijon, Quetigny – France

Dépôt légal : juin 2012
N° d'impression : 12-0502

ISBN : 978-2-84343-907-0

**Tous nos livres sont disponibles chez votre libraire
ou sur notre site Internet :
www.lexpress.fr/boutique**